Aujourd'hui, le BRÉSIL

Adriana Brandão
Patrick Straumann

rfi

casterman

Conception et réalisation graphique
Cécile Chaumet

Crédits photographiques

© Casterman 2014
www.casterman.com

ISBN : 978-2-203-07575-7
Nº d'édition : L.10EJDN001273.C002
Dépôt légal : avril 2014 - D. 2014/0053/2

Pourquoi le Brésil ?

Si le pays nous a régulièrement donné de ses nouvelles, son image reste teintée d'exotisme. Longtemps, son avenir économique semblait condamné par son appartenance au tiers monde et son destin politique, à l'instar de celui des autres nations d'Amérique latine, suspendu aux sautes d'humeur de son armée. Le climat tropical, la musique et la magie de ses footballeurs ont toujours fait partie des atouts du Brésil, mais cette réputation avait brouillé la perception de ses multiples identités. La richesse de sa culture, la variété de ses paysages et la dynamique de sa société sont restées méconnues.

À l'aube du XXIe siècle, la mondialisation a permis au Brésil de nuancer son profil. La vie politique s'est stabilisée au terme de la dictature militaire. Les marchés se sont ouverts, les prix des matières premières se sont envolés malgré la lente érosion qu'on connu la plupart des secteurs industriels. L'Europe et le monde, qui ont découvert le potentiel du pays, s'intéressent à ses ressources naturelles et craignent la puissance de ses exploitations agricoles.

Ces toutes dernières années, l'horizon s'est à nouveau assombri. La corruption et l'insuffisance des infrastructures continuent à peser sur l'économie. La récession hypothèque les avancées et la crise menace la cohésion sociale. Malgré des acquis sociaux substantiels, le pays reste très inégalitaire et si la misère fait partie du passé, la pauvreté demeure un problème aigu. Mais le Brésil a sans doute définitivement intégré le cercle des plus grandes puissances du monde. Les gouvernements successifs ont renforcé les liens avec l'Afrique ainsi que les nations émergentes et entendent peser sur les instances internationales.

Pourquoi ce livre ? « Le Brésil n'est pas un pays pour débutants », avait prévenu le musicien António Carlos Jobim, le compositeur du film musical *Orfeu Negro*, Palme d'or à Cannes en 1959. À ceux qui désirent apprendre plus sur l'histoire brésilienne, sur sa société, sa culture et les enjeux économiques, nous espérons que ces pages serviront d'introduction.

Adriana Brandão et Patrick Straumann

histoire

L'Histoire du Brésil est marquée par des contrastes : Pedro Álvares Cabral a découvert les côtes brésiliennes le 22 avril 1500, mais avant le XVIe siècle, la *Pindorama* (la « Terre des palmiers » en tupi-guarani) abritait des nations amérindiennes dont la présence attestée remonte à plus de 12 000 ans. À partir des années 1550, des millions d'Africains, déportés et vendus sur les plantations de sucre, ont commencé à peupler la colonie. Après l'indépendance du pays, survenue en 1822, les gouvernements successifs ont ouvert les frontières à l'immigration européenne et japonaise.

Si la transition entre les différents régimes – colonial, impérial, républicain – s'est déroulée d'une manière pacifique, le pays a également connu des crises économiques majeures et, entre 1964 et 1984, les abîmes d'une dictature militaire. La variété des origines de sa population, l'étendue du territoire et l'usage de la langue portugaise ont fait du Brésil une nation à part, mais, paradoxalement, la singularité de son histoire en fait aussi un modèle pour l'époque présente : à l'heure où les cultures mondiales commencent à se métisser, l'héritage de ce pays-continent, produit d'une « globalisation » avant la lettre, semble bien faire office de laboratoire, anticipant peut-être même notre futur à tous...

LA DÉCOUVERTE DE « L'ÎLE DE LA VRAIE CROIX »

Le Brésil avant le Brésil

La question de la naissance du Brésil est, en premier lieu, une affaire de perspective. Vue depuis l'Europe, l'histoire du pays se confondait jusqu'à il y a peu avec les étapes de l'expansion maritime audacieusement réalisée par les navigateurs de la péninsule ibérique. Cette vision semblait d'autant plus évidente que les **civilisations «pré-cabraliennes»** n'avaient laissé ni traces écrites ni vestiges architecturaux qui pouvaient permettre de penser une continuité historique.

Pour autant, le territoire n'était évidemment pas inhabité avant le XVIe siècle. Avant d'occuper les rêves européens sous les espèces d'une *terra incognita,*

bien avant de figurer sur les premières cartes en tant que **« Terre de la Vraie Croix »,** la partie méridionale du continent américain abritait de nombreuses populations indiennes, et notamment les **nations Tupi et Guarani.**

22 avril 1500 : Pedro Alvares Cabral et ses hommes découvrent la côte brésilienne.

Les archéologues datent d'il y a 12 000 ans le **début du peuplement des Amériques** – certains parlent même de 50 000 ans, mais la communauté scientifique reste divisée à ce sujet. La dernière glaciation a permis aux chasseurs d'Asie de traverser le détroit de Behring et de migrer progressivement vers le sud. Depuis le bassin amazonien, les Guarani longent les fleuves Madeira et Guaporé avant de s'établir dans la région de l'actuelle province argentine de Misiones. Les Tupi, également originaires des rives de l'Amazone, prennent la direction du littoral et colonisent les zones côtières, couvertes, à l'époque, par la Mata Atlântica.

Aujourd'hui, il est impossible de savoir combien de nations indiennes existent au Brésil avant l'arrivée des Portugais. La FUNAI – la Fondation Nationale de l'Indien – avance une estimation très large : selon cette organisation gouvernementale, **entre un et dix millions d'individus vivent en 1500 sur le territoire de l'actuel Brésil.**

Cereael Rey de portuguall

LIGNE DE PARTAGE DU TRAITÉ DE TORDESILLAS

Vue de la ville de Lisbonne, vers 1510.

PORTUGAL

Le planisphère de Cantino (1502) est la plus ancienne carte qui représente les découvertes portugaises.

BRÉSIL

Femme tupi et son enfant, par Albert Eckout, vers 1650.

Le traité de Tordesillas

Le Brésil est découvert le 22 avril 1500 par Pedro Álvares Cabral, parti en expédition vers les Indes. Une semaine après l'accostage, Pero Vaz de Caminha, un membre de l'expédition, adresse au roi Manuel une lettre dans laquelle il relate ses premières impressions. Il emploie les mots *achamento* et *achar* (le verbe trouver) – mais n'utilise pas le terme *descobrir*. Est-ce que cela signifie que les Portugais ont déjà eu connaissance de l'existence d'une *terra firme* à l'ouest ?

La question est d'importance car, selon les règles de la diplomatie internationale, c'est la découverte qui donne un droit à la possession. **Le traité de Tordesillas, qui partage le monde entre Portugais et Espagnols, est signé en 1494,** deux ans après le premier voyage de Christophe Colomb. À la demande de Lisbonne, la ligne de partage entre les sphères d'influence est tracée à 370 lieues à l'ouest des îles du Cap Vert – attribuant de fait une grande partie de l'Amérique du Sud orientale à la couronne portugaise.

On peut donc établir l'hypothèse que le roi a négocié le Traité en connaissance de cause et qu'il a volontairement retardé la nouvelle de la découverte de ses navigateurs afin d'être sûr que le territoire lui revienne. Le débat n'est pas tranché. On sait toutefois que le roi a donné des consignes de navigation, recommandant à sa flotte de se diriger vers l'ouest avant d'atteindre la ligne équinoxiale – que ce soit pour éviter les calmes plats ou pour explorer cette partie de l'océan qui lui revenait.

Un Éden sur terre

Depuis que les théologiens chrétiens s'étaient figurés le paradis comme un territoire réel — caché, mais accessible —, sa recherche a aimanté l'imagination de nombre de navigateurs et explorateurs occidentaux du XVe siècle. Aussi, dès leurs premiers écrits, les voyageurs reprennent-ils le thème d'un « Eden sur terre » : leurs rapports soulignent **la générosité des sols, la luxuriance de la flore et l'éternel climat printanier.** Leur description d'une terre habitée par des hommes qui ne connaissent « ni le fer ni l'acier », prêts à partager ses richesses, va contribuer à la popularisation de **la notion du « bon sauvage ».**

Premier « chroniqueur » du Brésil, Pero Vaz de Caminha fait également référence au Paradis en décrivant les Indiens : *« Vraiment, Sire »,* écrit-il dans sa Lettre au roi*, « l'innocence de ces gens est telle que celle d'Adam ne pouvait être plus grande pour ce qui est de la pudeur ».* Deux ans plus tard, **Amerigo Vespucci,** notant ses impressions du rivage brésilien, dessine lui aussi un tableau édénique. « Les arbres sont infinis et ne perdent jamais leur feuilles, les fruits sont savoureux, les fleurs nous enchantent par l'odeur délicieuse ; les oiseaux, avec leur plumage, leurs couleurs et leurs chants, défient toute description ».

La première messe célébrée au Brésil (peinture de V. Meirelles).

Village d'Indiens Apiaka, rives du rio Arinos (peinture d'H. Florence, 1827).

Le bois de braise

L'arbre pau brasil.

Le Brésil doit son nom à un arbre – le pau brasil ou *caesalpinia echinata* – dont le bois rouge est très recherché par l'industrie textile en raison de la teinture qu'on en extrait : **le terme *Brasil* est dérivé du mot « braise », ou *brasa*, en portugai**s. Aujourd'hui, suite à l'exploitation intense, l'arbre, menacé de disparaître, est protégé. Au XVIe siècle, et notamment avant 1570, année ou débute l'arrivée massive d'esclaves noirs d'Afrique, le travail de la coupe est effectué par des Indiens. L'exploitation est confiée à un *contratador* à qui revient le monopole du commerce extérieur du bois.

Fernando de Noronha est l'un des premiers marchands à faire fortune avec le commerce du *pau brasil*. En 1511, il rapporte plus de cinq mille troncs de bois de teinture à Lisbonne. **Les bénéfices de ce commerce sont notables** – de l'ordre de 500 % — même s'il faut verser une taxe au roi. Depuis le Portugal, une partie du bois est ensuite réexpédiée vers d'autres ports d'Europe, Bruges et Amsterdam, notamment.

Le bois autorise des usages variés : selon la description qu'en fait Lamarck, c'est par le « moyen des acides » qu'on en tire « une espèce de carmin ». Il sert « à teindre en rouge les œufs de Pâques », on en tire également « une laque liquide pour les miniatures ». **La transformation du bois en teinte** nécessite toutefois qu'on le râpe au préalable, car la décoction se fait à partir de la sciure. En Hollande, ce travail pénible est confié aux prisonniers : pour cette raison, la maison de correction d'Amsterdam s'appelle la *Rasphuis*.

Fondé à Amsterdam en 1596, le Rasphuis était une institution de correction et de travail, principalement destinée aux pauvres et aux marginaux.

DE « L'ÎLE BRÉSIL » AU PAYS-CONTINENT, LE BRÉSIL COLONIAL

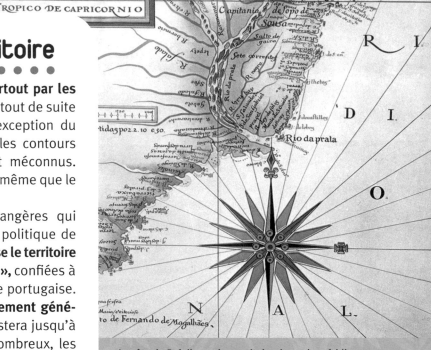

L'occupation du territoire

En 1500, les Portugais, intéressés surtout par les richesses de l'Inde, n'investissent pas tout de suite la terre récemment découverte. À l'exception du *pau brasil*, les ressources ainsi que les contours géographiques de la colonie restent méconnus. Pendant plusieurs années, on pensera même que le Brésil n'est qu'une grande île.

C'est l'irruption des puissances étrangères qui pousse les Portugais à une véritable politique de colonisation. **En 1532, le roi João III divise le territoire en quinze « capitaineries héréditaires »,** confiées à des « donataires » issus de la noblesse portugaise. En 1549, la couronne crée **le gouvernement général, établi à Salvador de Bahia,** qui restera jusqu'à 1763 la capitale de la colonie. Peu nombreux, les Portugais occupent principalement le littoral.

La conquête de l'intérieur est l'exploit des expéditions appelées ***bandeiras*.** Organisées à partir de São Paulo, **elles explorent le territoire à la recherche de l'or et d'Indiens à réduire en esclavage,** poussant chaque fois plus à l'ouest. Mais l'élevage extensif, aussi bien dans le nord-est que dans le sud, participe également à cette expansion. Deux siècles et demi après leur arrivée, les Portugais, s'appuyant sur cette occupation effective, imposent à l'Espagne **la signature du traité de Madrid (1750) qui légalise les nouvelles frontières,** situées bien au-delà du méridien de Tordesillas. Les contours actuels du Brésil sont presque atteints.

La côte du Brésil avec les capitaineries et le méridien de Tordesillas. Carte établie par Luis Teixeira, vers 1586.

Maurice de Nassau, prince d'Orange (1567-1625).

France Antarctique et Pernambouco hollandais

La première expédition française aborde la côte brésilienne en 1504. Elle est commandée par le normand **Binot Paulmier de Gonneville** qui séjourne durant six mois dans l'actuelle région du sud du pays. À son retour, il est accompagné du fils d'un chef indien, Essomericq, le premier «Brésilien» à poser le pied en France.

Sur les pas de Gonneville, **plusieurs navigateurs et pirates français prennent le chemin du Nouveau Monde à la recherche du bois de braise.** Entre 1555 et 1560, Nicolas Durand de Villegagnon bâtit à Rio de Janeiro la colonie **«France Antarctique»**;

et entre 1612 et 1615, c'esl au tour du Maranhão d'abriter la **«France Équinoxiale»**. Même éphémère, cette présence a laissé des traces, comme à São Luis, capitale de l'État du Maranhão, baptisée ainsi en hommage au roi Louis XIII.

Les Hollandais seront plus opiniâtres : à partir de 1630, ils conquièrent un vaste territoire dans la région de Pernambouco et y fondent une colonie prospère sous la gouvernance du prince Jean-Maurice de Nassau. Ils n'en sont expulsés par les Portugais qu'en 1654.

Des plantations de canne à sucre à la ruée vers l'or

Historiens et géographes utilisent souvent **la notion de cycles** pour expliquer l'évolution économique du Brésil. Après l'exploitation du bois de braise, deux produits dominent successivement la période coloniale : **le sucre et l'or.**

La canne à sucre est introduite au nord-est entre 1530 et 1540 et sa culture devient rapidement **l'activité motrice de la colonie.** Les Portugais y implantent une production agricole destinée à l'exportation. À partir des provinces de Bahia et de Pernambouco, **le Brésil devient le premier producteur mondial de sucre.** Au XVIIe siècle, la **concurrence des Antilles** met un sérieux frein à la production sucrière.

La découverte de l'or au Minas Gerais en 1695 déplace l'intérêt vers le sud du pays. **Le « siècle d'or »** enrichit et développe tant l'arrière-pays minier que les autres provinces de la région. En 1763, désireuse de mieux contrôler ce négoce rentable, **la couronne transfère la capitale de la colonie de Salvador à Rio de Janeiro.** La production d'or et de pierres précieuses diminue progressivement tout au long du XVIIIe siècle jusqu'à devenir, au début du XIXe siècle, insignifiante et peu attractive. Mais les changements économiques apportés par ce cycle garantiront pour longtemps la suprématie de la région sud-est.

Petit moulin à sucre portatif,
gravure de Jean-Baptiste Debret, vers 1825.

L'esclavage : une déportation massive d'Afrique

Les Portugais ont besoin d'une main-d'œuvre nombreuse pour travailler dans les vastes plantations de canne à sucre. Ils se tournent naturellement vers les Indiens, mais les conditions de travail dans les champs s'avèrent incompatibles avec le mode de vie des autochtones. Opposant une résistance, tant par la guerre que par la fugue, ces derniers sont aussi protégés par les Jésuites. **En 1570, la mise en esclavage des Indiens est proscrite par l'administration royale.**

Les Portugais commencent alors à exploiter les Noirs d'Afrique, suivant en cela l'usage dans leurs plantations des îles atlantiques. **Le Brésil devient le cœur esclavagiste de l'Amérique. Environ 4 millions de Noirs sont déportés jusqu'à 1850,** année de l'interdiction de la traite. Les esclaves sont majoritairement jeunes, de sexe masculin et dépourvus du statut légal d'être humain. Vendus sur des marchés publics, ils sont séparés de leur famille et vivent entassés dans des maisons précaires sur le domaine de leur propriétaire. Leur espérance de vie dépasse à peine les dix-huit ans.

La fuite est l'une des formes prédominantes de résistance des esclaves. **Une fois en liberté, les fugitifs s'organisent en communautés, les *quilombos*.** Le quilombo de Palmares, situé dans l'actuel État d'Alagoas, fonctionnera ainsi pendant presque tout le XVIIe siècle.

Groupe d'esclaves au repos, gravure de Johann Moritz Rugendas (1802-1858).

Tiradentes (1746-1792) l'indépendantiste

La fin de la période coloniale voit apparaître des révoltes contre le pouvoir portugais. La *Inconfidência Mineira*, riche en élans indépendantistes, en a été la plus expressive. Elle est fomentée dans les années 1780, à Ouro Preto, le centre névralgique du cycle d'or, en réaction au renforcement du contrôle fiscal par Lisbonne. Mais les idées de la Révolution française et de la guerre d'Indépendance des États-Unis influencent aussi les jeunes qui participent à la conjuration. **La rébellion pour l'indépendance de Minas Gerais** est découverte en 1789. Ses participants sont emprisonnés ou exilés et **son leader, Joaquim José da Silva Xavier,** un sous-officier connu sous le surnom de *Tiradentes* (l'Arracheur de dents), est condamné à mort et écartelé. Le jour de son exécution, le 21 avril, est devenu un jour férié, et **Tiradentes est reconnu comme le premier héros de l'indépendance brésilienne.**

UN « VERSAILLES TROPICAL »

L'arrivée de la cour portugaise

Le 18 mars 1808, le Brésil colonial connaît un bouleversement décisif : chassés de Lisbonne par les troupes napoléoniennes, **la reine Marie Iʳᵉ, le régent et futur roi dom João VI ainsi que la noblesse s'enfuient par la mer et débarquent à Rio de Janeiro.**
La ville qu'ils découvrent est pauvre, en proie à des épidémies de fièvre jaune et négligée des pouvoirs publics. **De fait, en ce début de XIXᵉ siècle, les esclaves formaient la moitié de la population** de la ville, au point que le négociant anglais John Luccock, l'un des rares voyageurs à visiter alors le pays, note dans son journal qu'« *un étranger qui traverse la ville pourrait se croire transplanté au cœur de l'Afrique* ».

Débarquement solennel de l'archiduchesse Léopoldine, épouse du futur empereur, à Rio de Janeiro, le 6 novembre 1817. (Gravure de J.-B. Debret).

Marie 1ʳᵉ de Portugal (1734-1816).

Marie Léopoldine (1797-1826), régente puis impératrice.

Sous l'impulsion de la cour, Rio va se transformer en une capitale moderne : les ports s'ouvrent au commerce international, la fondation de la Banque du Brésil et la création d'universités permettent à la colonie de réduire sa dépendance vis-à-vis de la métropole. Cette lente émancipation ne restera pas sans conséquence sur l'avenir du pays – dès 1815, **la ville devient officiellement le centre administratif du « Royaume-Uni de Portugal, du Brésil et d'Algarve ».** Sept années plus tard, après le retour de João VI au Portugal, son fils **Pedro sera amené à proclamer officiellement l'indépendance du Brésil.**

La « mission artistique »

En 1816, désireuse de doter la nouvelle capitale d'une vie artistique à la mesure d'une monarchie européenne, **la cour décide de recruter divers artistes français afin qu'ils forment les artisans locaux au goût néoclassique,** inspiré de la culture gréco-romaine. Le régent fait notamment appel au sculpteur **Joachim Lebreton** – le « secrétaire perpétuel de l'Institut des Beaux-Arts », qui dirigera cette mission – ainsi que, entre autres, au « peintre d'histoire » **Jean-Baptiste Debret** (un neveu de David) et à l'architecte Grandjean de Montigny.

Les membres de la mission sont chargés d'enseigner à **« l'Académie Royale des Sciences, des Beaux-arts et de l'Artisanat »,** mais les différences culturelles – et en particulier **l'héritage baroque du Brésil** – compliquent leur tache : au début du XIXe siècle, l'art colonial est essentiellement religieux et les artisans habitués à travailler dans le cadre des commandes de l'Église. Le style néoclassique ne s'imposera jamais vraiment au Brésil, et ce n'est qu'un siècle plus tard, **avec le modernisme,** que les artistes brésiliens s'affranchiront des influences étrangères pour s'inventer **une expression propre.**

Joachim Lebreton (1760-1819).

Jean-Baptiste Debret (1768-1848).

Scène de carnaval, aquarelle de J.-B. Debret.

Le roi João VI
(1767-1826).

L'empereur Pedro Ier
(1798-1834).

Couronnement de Pedro 1er, le 1er décembre 1822 (peinture de J.-B. Debret)

Deux empires sous les tropiques

« *L'indépendance ou la mort !* » – c'est par cette exclamation, prononcée le 7 septembre 1822, que **Pedro Ier, le fils de dom João VI, a rompu les liens politiques qui unissaient le Brésil à la couronne portugaise.** La déclaration d'indépendance est une réaction à la tentative des *Cortes* de Lisbonne de limiter l'autonomie acquise pendant la présence de la cour au Brésil. On affirme souvent que l'indépendance du pays débute avec le **« cri d'Ipiranga »**, allusion au fait que l'héritier du trône a prononcé ces paroles au bord de ce cours d'eau traversant l a province de São Paulo. Le 1er décembre 1822, Pedro Ier sera couronné empereur, mais l'année 1823 reste marquée par une **« résistance portugaise »** qui s'exprime dans les régions septentrionales, dans la Bahia notamment, ainsi que dans le Maranhão et le Pará.

Dès 1825 cependant, tant le Portugal que l'Angleterre, **son principal allié, reconnaissent la souveraineté brésilienne.** Le second empire débute en 183. Plus stable, le règne de Pedro II sera marqué par la **guerre du Paraguay** (1864-1870), le conflit le plus meurtrier de l'Amérique latine, qui vit le pouvoir d'Asunción sombrer face à une alliance formée par le Brésil, l'Uruguay et l'Argentine. La monarchie connaîtra son crépuscule en 1889 : politiquement exsangue, elle ne sera même plus sauvée par l'abolition de l'esclavage.

« L'indépendance
ou la mort », dit aussi
le Cri d'Ipiranga
(peinture de Pedro
Américo, 1888).

L'abolition de l'esclavage

S'il est impossible de connaître les chiffres exacts, **on estime entre 3 et 5 millions le nombre d'Africains réduits en esclavage et déportés au Brésil** entre le début du XVIIe et le milieu du XIXe siècle. **Une loi proscrivant la traite est votée en 1850,** mais la possession et la vente d'esclaves sont encore légales durant plusieurs décennies : ce n'est qu'en 1871 que la législation décrète que les enfants d'esclaves seront libres. En 1885, une loi garantit la liberté aux esclaves âgés de plus de 65 ans.

En retard par rapport aux autres nations – la France abolit l'esclavage en 1848 – le Brésil ne discutera sérieusement la « question servile » qu'après la guerre du Paraguay, en 1870. **Beaucoup de Noirs ont en effet servi durant la guerre comme « volontaires de la patrie » et ainsi gagné leur liberté** et la reconnaissance de l'armée. **L'Église** commence, elle aussi, à s'opposer à ce qu'elle considère comme une pratique barbare. La monarchie, de plus en plus isolée politiquement, et notamment **la princesse Isabelle,** une abolitionniste convaincue, voit alors dans l'abolition un moyen de se rapprocher du peuple. Rio sera néanmoins la dernière capitale du continent américain à abolir la servitude.

Le 13 mai 1888, en l'absence de l'empereur Pedro II qui recevait des soins en Europe, la princesse régente promulgue la ***Lei Áurea***, la « Loi dorée », déclarant *« irrévocablement éteint l'esclavage au Brésil ».*

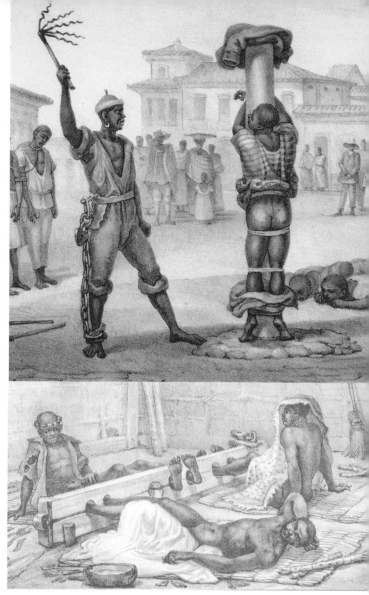

Pedro II (empereur de 1831 à 1889) en visite dans le Minas Gerais en 1861.

La princesse Isabelle du Brésil, signataire de la Loi dorée en 1888.

UNE RÉPUBLIQUE À CONSTRUIRE

Les débuts mouvementés de la République

Le Brésil est le dernier pays du continent à adopter une constitution républicaine. Proclamée deux ans après la destitution de dom Pedro II, la jeune **« République des États-Unis du Brésil »** va connaître une première décennie agitée : la marine se révolte à plusieurs reprises (allant jusqu'à bombarder le port de Rio en 1893), l'inflation galopante et un krach boursier dérèglent l'économie. À Canudos, dans l'arrière-pays de la Bahia, un prédicateur illuminé surnommé **Antônio Conselheiro** défie les lois de la République au nom d'un christianisme archaïque avant d'entraîner vingt mille paysans dans **une confrontation sanglante avec l'armée.**

En 1894, après Deodoro da Fonseca et Floriano Peixoto, tous deux maréchaux, **le Brésil se dote avec Prudente de Moraes de son premier président civil élu au suffrage direct** et parvient à retrouver un certain équilibre politique. Grâce aux prérogatives constitutionnelles dont jouissent les États de la Fédération, les oligarques peuvent faire valoir leur influence sur la scène nationale. Dorénavant, l'exercice du pouvoir repose sur un compromis entre Rio et les baronnies locales : les élites agraires de São Paulo et du Minas Gerais soutiennent le président et ses ministres ; en contrepartie, ceux-ci n'entreprennent rien qui puisse mettre en péril les structures de domination établies dans les provinces.

Deodoro da Fonseca, président de 1889 à 1891.

Floriano Peixoto, président de 1891 à 1894.

Antonio Conselheiro (1830-1897)

Beaux témoignages de l'influence néo-classique européenne, les bâtiments de l'opéra de Manaus et de la faculté de médecine à Porto Alegre.

Appuyé sur une junte militaire, Getúlio Vargas (le deuxième à droite) s'empare du pouvoir en octobre 1930. Il porte alors l'uniforme pour la dernière fois de sa vie.

Getúlio Vargas et l'*Estado Novo*

● ● ● ● ● ● ● ● ● ● ● ● ● ● ●

Getúlio Vargas (1882-1954) est la figure majeure de la politique brésilienne du XXᵉ siècle. Après son accession au pouvoir en 1930, et en dehors d'une parenthèse entre 1945 et 1950, il présidera aux destinées du Brésil pendant vingt-cinq années, d'abord en tant que **chef d'un gouvernement provisoire** et comme **président**, ensuite comme **dictateur,** enfin, après un retour en grâce, en remportant les élections présidentielles de 1950.

C'est à l'orée de sa carrière nationale que Vargas a constitué son capital politique. Dès 1930, il accélère la modernisation de l'État en créant différents ministères (Santé et Éducation, ainsi que Travail, Industrie et Commerce) ; en 1932, il propose **une législation travailliste qui constitue une véritable avancée sociale :** les lois votées durant son mandat interdisent notamment le travail des enfants et encadrent les droits des ouvriers.

Avec le putsch du 10 novembre 1937, Vargas perd cependant sa légitimité démocratique. Un faux complot communiste sert de prétexte à la fermeture du Congrès et permet la proclamation du *Estado novo*. **Inspirée par les idéologies fascistes qui sévissent alors en Europe, la Constitution de cet « État nouveau » concentre tous les pouvoirs** entre les mains du président. La radio, mais aussi la littérature et la presse subissent une censure féroce, de nombreux opposants sont emprisonnés, parfois torturés.

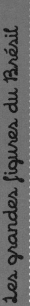

Olga Benario
(1908-1942)

Le destin d'Olga Benário, compagne du dirigeant communiste Luis Carlos Prestes, symbolise tragiquement la fascination que Getúlio Vargas a éprouvée pour le régime d'Hitler. Arrêtée en mars 1936 à Rio, cette Allemande d'origine juive est enceinte de sept mois lorsque le Brésil, dont la police entretient alors d'étroits liens avec la Gestapo, décide de l'expulser vers le Reich. Incarcérée à Berlin, elle y donne naissance à une fille, Anita Leocadia. Grâce à de fortes pressions internationales, l'enfant sera libéré en 1938. Mais déportée à Ravensbrück, Olga Benário mourra dans la chambre à gaz de Bernburg en 1942.

Vers 1943, fragilisé par la récession économique, le régime commence à se désagréger ; en 1945, soupçonné de vouloir interrompre le processus démocratique qu'il a été obligé d'initier, **Vargas se voit destitué à son tour par l'armée.** Mais cinq ans plus tard, grâce à une campagne populiste, il parvient à se faire réélire à la présidence de la République ! Il affronte cependant rapidement une opposition violente qui lui reproche ses orientations économiques. Acculé à la démission, **Vargas se tire une balle** dans le cœur en août 1954.

Le Brésil dans le monde

C'est sous la République que le Brésil réussit à faire reconnaître ses frontières actuelles. La majeure partie du tracé est négociée par le ministre des Affaires étrangères **José Maria da Silva Paranhos** Júnior, le baron de Rio Branco : dès 1900, il conclut favorablement le conflit qui l'oppose à la France dans la question de l'Amapá ; en 1903, il parvient à acheter le futur État de l'Acre, plus de 190 000 km², qui appartiennent pourtant *de jure* à la Bolivie. À sa mort, ce diplomate hors pair lègue à sa patrie plus de 16 000 km de frontières incontestées.

Rio Branco définit aussi les grandes lignes de la politique extérieure brésilienne. **Il instaure des liens privilégiés avec l'Argentine et le Chili** et tente de faire accepter **une relation « asymétrique » avec les États-Unis,** jugée préférable aux traités inégaux avec les puissances européennes. Cette proximité avec le voisin nord-américain ne sera démentie que lors de la Seconde Guerre mondiale, lorsque Vargas, adepte d'une « équidistance pragmatique », veillera à observer une stricte neutralité entre les Alliés et l'Axe. **L'entrée en guerre des États-Unis obligera cependant le Brésil à se retourner contre Berlin** et à envoyer, à partir de 1944, plus de 20 000 hommes sur le front italien.

L'immeuble Martinelli (108 m, 30 étages) est situé au centre de São Paulo, Édifié à partir de 1924, il est réputé pour être le premier gratte-ciel d'Amérique latine.

Insigne du corps expéditionnaire brésilien pendant la Seconde Guerre mondiale.

Officiers de cavalerie brésiliens. La photo date des années 1920.

L'invention d'une capitale

● ● ● ● ● ● ● ● ● ● ● ● ● ● ● ● ● ● ● ●

L'idée de construire une nouvelle capitale est discutée bien avant le XXᵉ siècle. Les motivations varient : à l'époque coloniale, on craint une invasion des puissances maritimes, alors que l'Empire se plaît surtout à en considérer les possibles retombées économiques. C'est finalement la République qui pose le premier cadre juridique : un amendement constitutionnel de 1891 prévoit que *« 14 000 km² du Planalto Central reviennent à l'Union pour la construction de la future capitale fédérale »*.

Un demi-siècle plus tard, le projet devient réalité. Choisis par le gouvernement Kubitschek (1956-1960), l'urbaniste **Lúcio Costa** en dessine le « plan pilote » tandis que l'architecte **Oscar Niemeyer** assume la conception des principaux bâtiments. La ville est édifiée en moins de quatre ans, mais ses coûts de construction hypothèqueront sévèrement l'économie nationale. Cependant, le message politique ne tarde pas à s'imposer : **Brasília** ne signifie pas seulement la rupture avec le passé colonial, **elle témoigne de la confiance avec laquelle le pays aborde son avenir.**

LA DICTATURE

Les « réformes de base » : l'étincelle qui a mis le feu aux poudres

À Brasília, le coup d'État se profile dès août 1961, avec la démission du président Jânio Quadros, neuf mois à peine après sa prise de fonctions. Le vice-président **João Goulart,** nationaliste et principal héritier politique du populiste Getúlio Vargas, lui succède. Goulart est favorable aux «réformes de base» – urbaine, politique et principalement agraire – qui rencontrent néanmoins une vive résistance de la part de l'élite dominante. **Celle-ci le soupçonne de vouloir implanter le communisme au Brésil.**

Bénéficiant d'une grande popularité, João Goulart devient président en 1961. Mais sa politique de réformes soulève l'hostilité des milieux d'affaires et des États-Unis.

La délicate situation économique du pays, due au ralentissement de la croissance et à l'inflation grandissante, fragilise encore le gouvernement. Devant la radicalisation de Goulart, **les militaires, soutenus par les États-Unis, décident de le renverser** *«pour faire barrage à la corruption et au communisme».* Le 31 mars 1964, le coup d'État (*golpe*) ne rencontre aucune résistance. Goulart, réfugié en Uruguay, devient le premier exilé politique de la longue dictature brésilienne.

Mars 1964 : en dépit des manifestations de soutien au président Goulart (surnommé Jango), le coup d'État (golpe) instaure pour vingt ans la dictature militaire.

1964 : les généraux prennent le pouvoir

Dès leur arrivée au pouvoir, les militaires écartent tous les opposants. S'appuyant sur des « Actes Institutionnels », ils modifient à leur guise les institutions, renforcent le pouvoir de l'exécutif et réduisent les droits des citoyens.

Un an après le coup d'État, le premier président général, Humberto Castelo Branco, impose un changement du mode de scrutin : **président, gouverneurs et maires des principales villes seront dorénavant élus indirectement.** Castelo Branco dissout aussi les partis existants et ordonne la création de deux nouvelles formations politiques, l'une pro-gouvernementale, l'autre rassemblant l'opposition.

En 1967, une nouvelle Constitution basée sur l'idéologie de la sécurité nationale est approuvée. Tout au long de la dictature militaire, les présidents – tous des généraux – sont choisis par les forces armées. Le peuple continue à voter pour élire ses députés, mais les règles électorales, taillées sur mesure, garantissent la majorité au parti au pouvoir.

Général Castelo Branco (1900-1967).

« Le Brésil, tu l'aimes ou tu le quittes » est un slogan volontiers utilisé par les militaires au pouvoir.

Dilma Rousseff (née en 1947) est arrêtée en 1970. Condamnée par un tribunal militaire, elle restera détenue pendant trois ans.

1968 à la brésilienne : les exilés et la guérilla

En 1968, comme ailleurs dans le monde, les jeunes Brésiliens se rebellent pour changer le pays. La violence policière contre les manifestations tue un lycéen. Au sein de secteurs entiers de la société, la mobilisation pour la démocratisation du Brésil gagne du terrain. **Les militaires décrètent alors un nouvel « Acte Institutionnel »,** le cinquième depuis leur arrivée au pouvoir. L'**« AI-5 »** renforce le pouvoir dictatorial et enterre les dernières libertés ; **la torture, pratiquée depuis le début du régime, se généralise. C'est le début des « années de plomb ».** Le pays assiste à une nouvelle vague de licenciements et d'arrestations arbitraires, plusieurs opposants, intellectuels et artistes prennent **le chemin de l'exil,** tels les musiciens Caetano Veloso, Gilberto Gil et Chico Buarque de Holanda.

Sous l'« AI-5 », la lutte armée contre le régime s'intensifie. De jeunes travailleurs et **des étudiants principalement, issus de la classe moyenne à l'image de Dilma Rousseff, forment des organisations clandestines de gauche.** Leurs actions se multiplient à partir de 1969. La guérilla urbaine enlève plusieurs diplomates étrangers et les échange contre la libération de prisonniers politiques. La répression est implacable ; en 1975, l'armée tue ou emprisonne les membres de la dernière guérilla rurale en action, celle de l'Araguaia.

Les grandes figures du Brésil

Dilma Rousseff

(née en 1947)

L Dilma Vana Rousseff est née à Belo Horizonte, dans l'État du Minas Gerais. Fille d'un immigré bulgare et d'une enseignante brésilienne, elle intègre à 16 ans un mouvement de gauche. Arrêtée en 1970, elle est torturée, condamnée pour subversion et incarcérée pendant trois ans. Après une carrière dans l'administration de l'État du Rio Grande do Sul, elle devient en 2003 ministre de l'Énergie du premier gouvernement Lula, avant d'être nommée à la *Casa Civil*, un poste comparable à celui d'un premier ministre.

Dauphine de Lula et candidate du PT, Dilma Rousseff remporte les élections présidentielles de 2010 avec 56 % des voix et devient la première femme à diriger le Brésil. Toutefois, les manifestations exceptionnelles du printemps 2013 ont fait chuter sa popularité et c'est de justesse qu'elle est réélue en 2014 pour un second mandat. La révélation d'un grand scandale de corruption a amplifié le mouvement de contestation contre son gouvernement et entraîné, en 2015, l'ouverture d'un processus de destitution au parlement, plongeant le pays dans une grave crise politique.

Une lente marche vers la démocratisation

En 1974, c'est un général modéré, Ernesto Geisel, qui assume la présidence. **Geisel instaure un processus d'ouverture politique** qu'il définit comme « lent, graduel et sûr ». Malgré quelques reculs, la transition vers la démocratie avance. **En 1979, l'AI-5 est abrogé,** ainsi que la censure. Les Brésiliens peuvent à nouveau exercer le droit de manifester et de faire grève. La promulgation d'une loi d'amnistie autorise le **retour au pays de milliers d'exilés.** Le **multipartisme** revient en vigueur, tout comme les **élections libres** pour les gouverneurs.

Cinq ans plus tard, l'opposition propose un amendement constitutionnel pour que les élections présidentielles se tiennent également au **suffrage universel.** Des milliers des Brésiliens descendent dans la rue pour soutenir la campagne *Diretas já* (« élections directes tout de suite »). L'amendement est rejeté par le Congrès, mais l'opposition réussit à faire élire son candidat au Collège électoral. **En 1985, pour la première fois en 21 ans, un président civil va gouverner le pays.**

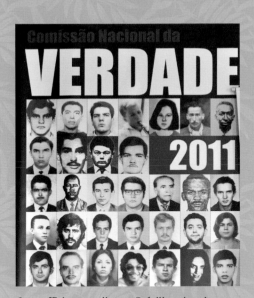

Cette affiche rappelle aux Brésiliens les visages des disparus pendant les années de dictature.

Ci-dessous, Dilma Rousseff et six membres de la Commission Vérité, en mai 2012.

Commission de la Vérité

Contrairement à ses voisins d'Amérique latine, le Brésil n'a jusqu'ici jugé aucun responsable pour les 400 morts et disparus pendant la dictature militaire. Si la loi d'amnistie de 1979 a permis le retour des exilés, **elle a aussi protégé les bourreaux.** C'est seulement en mai 2012 que la présidente **Dilma Rousseff nomme les membres de la «Commission nationale de Vérité»,** créée en 2009 pour enquêter sur les violations des droits commises dans le pays. « *Méconnaître l'histoire n'apporte pas la paix. Au contraire, cela maintient les blessures et les rancunes vivantes. Le Brésil mérite de connaître la vérité* », déclare la présidente au moment de l'installation de la Commission.

Nouvelle Constitution, Nouvelle République

Le premier gouvernement de la période post-dictature, baptisée **« Nouvelle République »,** débute par un imprévu tragique : le président élu, Tancredo Neves, du Parti du mouvement démocratique brésilien (PMDB), meurt avant sa prise de fonctions. Le vice-président, **José Sarney,** ancien membre du parti qui appuyait les militaires, accède à la présidence. Malgré la déception politique, **le gouvernement Sarney complète la transition vers la démocratie.** Tous les partis sont légalisés et les citoyens anal-phabètes obtiennent enfin le droit de vote. **En 1986, une assemblée est élue afin de rédiger la nouvelle Constitution.** Promulgué en octobre 1988, le texte défend le fédéralisme et garantit les avancées conquises dans le domaine des droits sociaux et po-litiques à tous les citoyens, y compris les minorités.

Le gouvernement Sarney doit aussi subir une crise économique sans précédent. Pour y remédier, **trois plans économiques se succèdent ;** le pays change deux fois de monnaie et décrète un moratoire sur sa dette extérieure. Sans résultats, cependant ! Sarney, qui avait hérité des militaires une situation économique délicate, transmet en mars 1990 à son successeur **un pays asphyxié par l'hyperinflation, avec un taux mensuel record de 84 %.**

UNE DÉMOCRATIE CONSOLIDÉE

Scène de liesse le 5 octobre 1988 : après vingt mois de travaux, la Constitution est enfin promulguée.

José Sarney (né en 1930), président du Brésil de 1985 à 1990.

Lula da Silva pendant la campagne électorale de 1989. Il est encadré par ses alliés des partis de gauche, Mário Covas (à gauche) et Leonel Brizola (à droite).

Fernando Collor de Mello (né en 1949).

La première élection présidentielle directe en 25 ans

Les élections de 1989 sont historiques. Pour la première fois depuis 1960, les Brésiliens votent pour élire leur président. 22 candidats sont en lice ! Deux noms, qui ne représentent pourtant pas les formations politiques traditionnelles, sortent vainqueurs du premier tour : le conservateur **Fernando Collor de Mello**, du petit Parti de la reconstruction nationale (PRN), créé spécialement à l'occasion de ces élections, et le syndicaliste de gauche **Luiz** Inácio Lula da Silva, du Parti des travailleurs (PT). Collor, jeune gouverneur de l'État d'Alagoas, issu de l'oligarchie du Nordeste brésilien, est soutenu par tous les formations de droite qui agitent la menace communiste que représenterait Lula. Il reçoit aussi l'appui déterminant des grands groupes de presse, notamment de TV Globo, et **emporte le deuxième tour avec 53 % voix (35 millions d'électeurs).**

L'*impeachment* du président Collor et les «visages peints»

Fernando Collor de Mello prend ses fonctions en mars 1990, mais il ne restera que deux ans au pouvoir. **Son gouvernement est miné par l'approfondissement de la crise économique** et, surtout, par la multiplication d'affaires de corruption, dont plusieurs le mettent personnellement en cause. Collor, qui s'est fait élire avec un discours moralisateur et anti-corruption, se retrouve isolé politiquement et cherche le soutien populaire. En réaction, les mouvements organisés et les jeunes étudiants de la classe moyenne descendent dans la rue. Le visage peint, ils exigent la démission du président. **Le Congrès entame une procédure de destitution, appelée *impeachment*, et Collor finit par remettre sa démission en décembre 1992.** Il sera condamné à huit ans d'inéligibilité.

Tout au long de l'année 1992, les manifestations se succèdent pour exiger la démission du président Collor. Le 29 septembre, les députés votent l'impeachment.

Avec **Itamar Franco,** c'est à nouveau un vice-président qui prend les commandes du pays. Franco, du traditionnel PMDB, fait appel à des **politiques progressistes** pour former son gouvernement, avec parmi eux le sociologue Fernando Henrique Cardoso, du Parti social-démocrate brésilien (PSDB). Cardoso élabore un programme économique qui parvient à freiner l'inflation et à stabiliser l'économie. **Le succès du plan Real,** du nom de la nouvelle monnaie, garantit son élection à la présidence dès le premier tour, en octobre 1994. **Sous sa présidence, le pays adopte une politique néolibérale** qui privatise les entreprises publiques et s'ouvre aux investissements étrangers. **Fernando Henrique Cardoso,** après avoir fait voter la réforme constitutionnelle qui permet à un président de se faire réélire, restera huit ans au pouvoir (1995-2002).

Itamar Franco (à droite) et son successeur, Fernando Henrique Cardoso.

Un nouvel acteur mondial

À nouveau candidat aux présidentielles de 2002, **Lula** adapte son discours aux changements économiques et politiques intervenus tant au Brésil que dans le monde. Plus modéré et pragmatique, il est finalement élu après trois échecs et prend ses fonctions en janvier 2003. La rupture n'est cependant pas radicale. Comme promis, Lula maintient la politique de stabilité économique héritée des gouvernements précédents et **utilise les fruits de la croissance retrouvée pour combattre la pauvreté.** Plusieurs scandales de corruption éclatent, mais ceux-ci n'atteignent pas le président, aisément réélu en 2006.

Sous les deux présidences Lula, le Brésil s'affirme comme une véritable puissance émergente. Brasília met l'accent sur la réforme des institutions multilatérales (ONU, FMI) et **réclame un siège permanent au Conseil de sécurité.** Il s'associe à d'autres pays émergents, en premier lieu la Chine, pour peser sur l'échiquier mondial. **Membre des BRICS** avec la Russie, l'Inde, la Chine et l'Afrique du Sud, le Brésil participe à la création du G20.

Depuis l'élection de Dilma Rousseff, la présence internationale du Brésil se fait toutefois plus discrète. Le budget du ministère des Affaires étrangères a baissé, laissant de nombreux diplomates sans affectation, tandis que la crise politique interne, survenue au tout début de son deuxième mandat, a affaibli l'attention portée aux engagements extérieurs. Parions toutefois que le pays, comme lors de la Coupe du monde, saura jouer du *soft power* que lui fournit l'organisation, en 2016, des jeux Olympiques à Rio de Janeiro !

Luiz Inácio Lula da Silva
(né en 1945)

Q uand je quitterai le pouvoir, je serai l'homme le plus heureux du monde : je n'ai aucun diplôme académique, mais je suis le président qui a créé le plus d'universités au Brésil », proclame Lula, quelques jours avant le 31 décembre 2010. L'origine sociale de Luiz Inácio Lula da Silva est semblable à celle de la majorité de la population brésilienne, mais sa trajectoire est exceptionnelle.

Il est né le 27 octobre de 1945 à Garanhuns, une bourgade pauvre de Pernambouco, dans le Nordeste. Pour fuir la misère, sa famille émigre à São Paulo ; à sept ans, il doit vendre des bonbons et des cigarettes dans la rue pour aider sa mère. Jeune adulte, Lula devient ouvrier à São Bernardo do Campo et, en 1975, prend la tête du syndicat de métallurgistes. Avec les grandes grèves de la fin des années 1970, son éloquence et sa figure sont connues dans tout le pays. En 1980, Lula est l'un des fondateurs du Parti de travailleurs grâce auquel il est élu président de la République en 2002.

Sommet des BRIC en 2010 avec D. Medvedev (Russie), Lula da Silva (Brésil), Hu Jintao (Chine) et M. Singh (Inde).

société

La société brésilienne a été traversée par de profonds
bouleversements au cours des dernières décennies.
Alors que la population rurale s'élevait encore à 80 %
de l'ensemble des Brésiliens au milieu du XXᵉ siècle, plus de quatre
habitants sur cinq vivent aujourd'hui dans des villes. Le pays reste
la plus grande nation catholique du monde, mais d'autres religions
– et notamment les églises évangélistes – gagnent de plus en plus
de fidèles. Si la violence politique a pris fin avec le retour
à la démocratie, la violence urbaine, que l'on peut structurellement
relier aux inégalités sociales, a littéralement envahi l'espace public.

Depuis la fin du régime militaire, la presse est libre et fait écho
au moindre scandale qui secoue Brasilia. La nouvelle constitution,
promulguée en 1988, contient des dispositions d'une modernité
incontestable. Les nouvelles classes moyennes intègrent le marché
de la consommation et introduisent des codes culturels inédits.
L'impunité des élites, la corruption, les lourdeurs administratives :
la société civile s'organise, multiplie ses critiques, se montre
de plus en plus exigeante à l'égard de la classe politique.
C'est son énergie et sa vitalité qui caractérisent la société
brésilienne d'aujourd'hui en premier lieu.

MAÎTRES ET ESCLAVES

Esclaves d'une fazenda de café (plantation de café) vers 1885.

Une relation qui a façonné le pays

Sérgio Buarque de Holanda l'a souligné en 1936 dans son ouvrage *Racines du Brésil* : **les Brésiliens sont « cordiaux ».** Mais cette cordialité n'efface pas l'héritage de siècles de relations hiérarchiques. Dès 1500, les Portugais ont développé **un modèle économique basé sur la monoculture,** et ce mode de production a perpétué une société aux caractéristiques quasi féodales : depuis les grandes plantations de canne à sucre de Bahia jusqu'aux fermes d'élevage du Rio Grande do Sul, **chaque région a connu des oligarchies dont le pouvoir a structuré la vie sociale.**

Ni l'abolition de l'esclavage ni l'avènement de la République n'ont réussi à bouleverser fondamentalement pareils rapports de force. **Les Noirs ont bien été émancipés, mais aucune mesure n'a été prise pour faciliter leur intégration.** En l'absence de

toute réforme agraire, l'économie est longtemps restée aux mains de baronnies locales, et la représentativité politique a également laissé à désirer : c'est seulement depuis la **« redémocratisation »** de 1985 qu'analphabètes et Indiens disposent du droit de vote.

Malgré le mythe de la « démocratie raciale » qui est accepté par tous les Brésiliens, les Noirs ont toujours occupé les seconds rôles. Pendant longtemps, ils ont tenté d'effacer leur origine ethnique afin de se rapprocher des élites blanches et se sont définis par une couleur de peau plus claire. Ce n'est que récemment que le pourcentage des Noirs « assumés » dans les recensements a commencé à augmenter.

D'après le recensement de 2010, 47,7 % des Brésiliens se considèrent blancs, 43,1 % métis, 7,6 % noirs, 1,1 % asiatiques et 0,4 % amérindiens.

Les mouvements de la conscience noire

Le «Mouvement noir» s'est souvent heurté au reproche de vouloir réintroduire la notion de race dans le débat social. Au cours du XXe siècle, **le Brésil s'est construit une identité nationale basée sur l'acceptation du caractère multiracial du pays :** l'héritage de l'esclavage ne s'est-il pas dissous dans le mélange des populations ? Ce n'est qu'après la dictature militaire, avec l'émergence d'autres mouvements de démocratisation, que le **Mouvement Noir Unifié (MNU)** a pu voir le jour. Accompagné de productions culturelles faisant écho aux revendications communautaires (dont les *Cadernos negros,* une revue littéraire réservée aux écrivains noirs) le mouvement a pu provoquer quelques décisions politiques notables.

En 2003, le président Lula a nommé une **ministre de la «Promotion de l'égalité raciale»,** et son gouvernement a signé des décrets garantissant aux descendants des habitants des *quilombos* (communautés d'esclaves marron) leur droit constitutionnel sur les terres jadis occupées par les esclaves en fuite. Les lois portant sur les **quotas universitaires** et celles définissant les **droits des domestiques,** votées respectivement en 2012 et 2013, témoignent elles aussi du fait que la **«question noire» est loin d'être close.**

Zumbi dos Palmares
(1655-1695)

En règle générale, les esclaves étaient, de par leur condition, condamnés à l'anonymat. Zumbi dos Palmares en fut l'exception : son nom est devenu synonyme de la lutte des Noirs contre la servitude. Né dans le *quilombo* de Palmares, une communauté d'esclaves fugitifs située dans l'État d'Alagoas, il a sept ans lorsque, en 1662, il est capturé par des soldats et confié à un prêtre qui le baptise et lui apprend à lire et à écrire. À quinze ans, il s'enfuit et retourne à Palmares où il prend le nom de Zumbi, un terme de la langue kimbundu que l'on peut traduire par «guerrier» ou «Dieu de la guerre», mais aussi par «mort-vivant».

En 1671, alors que la persécution des fugitifs s'intensifie, Ganga-Zumba, le dirigeant du *quilombo,* conclut avec le gouverneur du Pernambouco un armistice garantissant la liberté aux natifs de Palmares, mais Zumbi l'empoisonne et déclare la guerre aux autorités coloniales. Le conflit dure jusqu'en 1695, quand Zumbi, trahi par un compagnon de lutte, est arrêté et tué. En 1995, à l'occasion du tricentenaire de son exécution, le 20 novembre est déclaré «Journée de la conscience noire».

La politique des quotas

La politique des quotas est inscrite dans la législation brésilienne depuis 2012. Dorénavant, la loi prévoit que 50 % des places dans les universités fédérales seront réservées à des étudiants noirs, métis ou indiens ayant passé l'ensemble de leur scolarité dans une école publique.

L'instauration de cette loi ne s'est pas faite sans résistance : ses adversaires prédirent une chute de la qualité de l'enseignement et dénoncèrent le fait qu'un étudiant doué pourrait perdre sa place à l'université au profit d'un étudiant médiocre, repêché grâce à son origine. Toutefois, les chiffres donnent un tableau nuancé. Lors des concours d'entrée organisés par les universités, la différence entre les résultats des « quotistes » et ceux des autres varie de 3 à de 11 % selon les données du ministère de l'Éducation, **« une distance statistiquement insignifiante »,** considèrent les spécialistes. L'autre argument souvent avancé par les opposants à la loi, celui relatif au **risque d'abandon scolaire,** ne résiste pas davantage aux faits. À l'université de l'État de Rio de Janeiro (UERJ), qui pratique déjà depuis plusieurs années une politique de discrimination positive, seuls quatre étudiants parmi ceux qui n'ont pas terminé leurs études de médecine en 2010 avaient pu intégrer la faculté grâce aux quotas.

En organisant une quête symbolique dans les rues, ces étudiantes protestent contre la diminution des fonds publics pour l'enseignement supérieur.

Les domestiques

● ● ● ● ● ● ● ● ● ● ● ● ● ● ●

L'amendement constitutionnel portant sur les droits des employés de maison est récent, mais **sa portée, tant légale que symbolique, est considérable :** Eliana Menezes, présidente du syndicat des domestiques de São Paulo, n'hésite pas à qualifier la loi de **« seconde abolition de l'esclavage ».**

Depuis 2013, les employées sont protégées par une législation comparable à celle en vigueur dans d'autres secteurs de la société : la durée du travail est limitée à huit heures par jour et à 44 heures par semaine, les heures supplémentaires sont payées au moins 50 % en plus du salaire de base. L'impact de cette nouvelle loi est d'autant plus fort que **le Brésil est le pays qui compte le plus grand nombre**

Héritée du passé esclavagiste du Brésil, la situation des employées de maison s'est améliorée avec la croissance économique des dernières années.

de bonnes au monde : plus de 6,2 millions de femmes gagnent leur vie avec un travail domestique. Souvent originaires du nord ou du nord-est du pays et, pour la plupart, noires, seules 30 % d'entre elles sont employées de manière formelle, selon l'Organisation Internationale du Travail.

Pour Creuza Maria Oliveira, la présidente de la Fédération nationale des travailleurs domestiques, cette loi n'établit pas seulement l'égalité des droits, **elle « permet aussi l'inclusion sociale et une réparation de l'Histoire ».**

UN PAYS MÉTIS

Noirs, Indiens et Portugais

«*Un enfer pour le Noirs, un purgatoire pour les Blancs et un paradis pour les métis*»: c'est ainsi qu'un proverbe portugais décrit le Brésil à la fin du XVIIe siècle. **Le métissage est une caractéristique fondamentale de la société brésilienne:** les dictionnaires dénombrent plus de trente synonymes pour le terme *mestiço*, passant du *cabolco*, qui désigne les descendants d'Indiens et d'Européens, à *zambo* (ou afro-indien) en passant par les *pardos* ou *mulatos*, nés de parents blancs et noirs.

Contrairement aux États-Unis, le pays ne s'est pas appuyé sur un système biracial rigide, mais **l'absence d'une législation qui distingue les citoyens en fonction de leur origine ethnique n'a pas éliminé les barrières pour autant:** le marché du travail, la société civile, et même l'image du pays telle qu'elle est renvoyée par les séries de télévision consolident les structures hiérarchiques, basées tant sur l'apparence que sur la «blancheur» socioculturelle des personnes.

Au fil du XXe siècle, la mémoire du métissage a pourtant joué un rôle clé dans la constitution de l'identité nationale. Le modernisme a célébré l'alliage des cultures dès les années 1920: dans son «manifeste anthropophagique», Oswald de Andrade esquisse le projet d'une culture brésilienne basée sur «l'ingestion» systématique et irrespectueuse de divers styles artistiques. Mais il reviendra au philosophe et sociologue Gilberto Freyre de formuler au pays **le mythe fondateur de la société plurielle:** dans *Maîtres et esclaves*, publié en 1933, il propose la vision d'un Brésil dont la force réside dans la multiplicité des traditions, à savoir **le mélange de ses racines indigènes, africaines et européennes.**

« Blanchir le pays »

Les composantes de la démographie brésilienne sont autant un héritage de l'histoire coloniale que de décisions politiques prises après l'indépendance. Longtemps les élites, confrontées à la question de l'identité nationale, ont défendu un modèle social qui visait à compartimenter la population. **Le projet de « blanchir » la société, né à la fin du XIXe siècle, est basé sur la présomption de la supériorité des Blancs,** même s'il « accepte » le métissage comme une étape intermédiaire sur le chemin vers une société de type européenne.

En opérant une distinction entre « races avancées » et « races retardées », l'initiative se nourrit des **théories du racisme scientifique,** tel qu'elles ont pu être popularisées par les écrits d'Arthur de Gobineau ou de Louis Agassiz. Adoptée par les gouvernements successifs, cette idéologie s'était traduite par un fort soutien à l'immigration blanche – près de 3,8 millions d'étrangers se sont installés au Brésil entre 1887 et 1930.

Les prévisions selon lesquelles « le sang noir disparaîtrait à la cinquième génération », comme l'écrit l'auteur et républicain Ribeiro de Andrada, s'avèrent cependant aussi peu fondées scientifiquement que le raisonnement qui a sous-tendu l'idée du blanchissement : **en 2010, 92 millions de Brésiliens se sont déclarés métis.**

Le café *par Cândido Portinari (1903-1962).*

Immigrants italiens à leur arrivée à São Paulo, vers 1890.

Vendeurs de pinsons, *par Cândido Portinari (1903-1962), musée d'art moderne de Bahia.*

Vue de São Paulo depuis l'Edifício Itália, un gratte-ciel de 165 m.

La migration interne (les *retirantes*)

Pays à la dimension continentale, le Brésil a été à plusieurs reprises le théâtre d'une migration interne. Au XVIIIe siècle, **la découverte de mines d'or** dans la Serra da Mantiqueira, aux environs de l'actuelle Ouro Preto, a provoqué une onde de choc dans la colonie – les orpailleurs ayant afflué de toutes les *capitanías* limitrophes, les besoins alimentaires de la région minière ont provoqué des pénuries jusque sur les marchés de Rio et de São Paulo. Véritable « melting-pot », **certains historiens n'hésitent pas à considérer le territoire du Minas Gerais comme le « berceau » du peuple brésilien.**

Depuis la fin du XIXe siècle, cependant, les principaux foyers d'émigration se trouvent au Nord-Est. **Fuyant les sécheresses chroniques et la dépendance des *latifundários*,** les populations les plus pauvres ont tenté leur chance dans les exploitations de caoutchouc en **Amazonie.** À partir des années 1940, lorsque l'industrialisation a transformé les métropoles du Sud-Est en un chantier permanent, les *retirantes* se sont surtout installés dans les **faubourgs de Rio et de São Paulo.** Cette migration interne a fortement participé à l'urbanisation du pays ; alors que le Brésil était historiquement rural, **sa population est aujourd'hui à 85 % urbaine.**

São Paulo, la plus grande ville japonaise en dehors du Japon

• • • • • • • • • • • • • • •

Il est possible de dater avec précision le début de l'immigration japonaise au Brésil : le **25 novembre 1908**, 165 familles japonaises originaires de Kobé, arrivées à bord de la *Kasato Maru*, débarquent dans le port de Santos. Au départ, **l'assimilation de cette communauté ne s'est pas faite sans heurts** : l'opinion publique brésilienne se montre réticente vis-à-vis d'un « futur asiatique », les immigrants japonais, désireux surtout de travailler pour faire des économies, n'ont pas a priori l'intention de s'installer en Amérique du Sud. D'autant que **les conditions de travail se rapprochent de l'esclavage** et que les gains que les bureaux de recrutement ont fait miroiter sont souvent hors d'atteinte : contrairement à une expression en vogue, le caféier n'est pas « l'arbre qui donne de l'or ».

Les difficultés que pose un retour au pays natal convainquent cependant de nombreux Japonais à essayer de s'intégrer — par l'adoption de prénoms chrétiens, notamment, ou par la **conversion à la religion catholique.**

Aujourd'hui, on trouve près de **1,5 million de descendants de Japonais** ou *nissei* au Brésil, la plupart d'entre eux dans l'État ou la ville de São Paulo, la plus grande ville japonaise en dehors de l'archipel nippon. L'épicentre de la communauté japonaise se situe dans **le quartier de la Liberdade**, à deux pas de la cathédrale municipale : en hommage aux immigrants, les réverbères des rues adjacentes sont peints en rouge et portent des luminaires en forme de lampions blancs. Le Paraná, Rio de Janeiro, le Pernambuco comptent également une importante communauté nippo-brésilienne.

Créé en 1912, le quartier Liberdade à São Paulo abrite la plus grande communauté japonaise en dehors de l'archipel (environ 65 000 personnes).

À la fin du mois d'août, tout comme au Japon, on profite des cerisiers en fleurs dans les parcs de São Paulo.

LES INDIENS : UNE SOCIÉTÉ À PART

Les territoires indiens – une conquête

Pendant longtemps, les politiques gouvernementales ont considéré les Indiens comme **« incapables ».** On les assimilait à des enfants, difficiles à intégrer dans la société brésilienne. Cette vision n'a été définitivement changée qu'en 1988, avec la nouvelle Constitution du pays. **Pour la première fois sont reconnus la culture, les traditions et, principalement, le droit originel à la terre** que les Indiens occupent, l'État garantissant le respect de leurs droits et biens.

Depuis, la légalisation des territoires indiens s'est multipliée et la population indienne du Brésil a cessé de diminuer. Le dernier recensement (2010) indique qu'il y a au Brésil un peu moins de **900 000 Indiens de 305 ethnies.** Ils représentent 0,4 % de la population, pourcentage en croissance de 0,1 % par rapport à 2000. Ils vivent dans 688 territoires indiens qui occupent environ 13 % du pays, principalement dans la région de l'Amazonie.

La plupart ne vivent plus nus. Ils portent casquettes, t-shirts, shorts et tongs, peuvent voter et être élus, mais préservent leurs modes de vie **en connexion directe avec la nature,** chassant, pêchant et cueillant les fruits de la forêt. Un tiers des Indiens brésiliens habite dans des zones urbaines.

Les Yanomami sont parmi les plus nombreux des habitants des forêts tropicales d'Amérique du Sud. Leur population est estimée à 35 000 individus.

Vue aérienne des travaux d'aménagement d'un barrage sur le rio Xingu, un affluent de l'Amazone. Plus de 500 km² de terres occupées par les Indiens doivent être inondées.

Les luttes continuent ; le Mato Grosso

Plus d'un tiers des territoires indiens identifiés n'est pas encore légalisé comme le stipule la Constitution brésilienne, ce qui les fragilise davantage : même reconnues, **les terres indiennes sont souvent envahies** par des orpailleurs, pêcheurs, chasseurs, bûcherons et autres fermiers illégaux. Ces violences ont provoqué la mort de plus de 500 Indiens depuis 2003. Leurs réserves peuvent aussi être **coupées par des routes,** chemins de fer ou réseaux électriques, ou bien encore **inondées par des barrages.** Souvent, le territoire légalisé est beaucoup plus petit que les terres ancestrales. De plus, il cohabite difficilement avec les fermes qui l'entourent et subit la pollution des rivières.

La tragédie des Indiens Guarani du Mato Grosso do Sul est révélatrice. Pour permettre l'expansion de la frontière agricole dans la région, **les Guarani ont été confinés dans 300 000 hectares.** Une réserve surpeuplée, exigüe, pour une population souvent misérable de plus de 40 000 personnes, parfois tentée par la violence. **Le taux de suicide y est l'un des plus élevés au monde.** En défendant le droit à la terre de leurs ancêtres, les Guarani ont entamé un mouvement pour récupérer des parcelles des grandes fermes d'élevage ou des plantations de soja de la région. L'occupation est considérée illégale par les autorités locales et les Indiens parlent de se suicider collectivement s'ils sont expulsés.

La tragédie des Guarani-Kaiowá du Mato Grosso do Sul est révélatrice. Pour permettre l'expansion de la frontière agricole dans la région, les communautés indigènes ont été **confinées dans 36 réserves surpeuplées et exigües.** Ainsi, sur la réserve de Dourados, une population souvent misérable de 16 000 personnes, parfois tentée par la violence, se partage-t-elle 3 600 hectares. Le taux de suicide y est l'un des plus élevés au monde : en octobre 2012, après la réception d'un ordre d'expulsion, un groupe de **170 Kaiowas a déclaré être prêts à mourir** plutôt que de partir. « Nous allons déjà être tués, donc nous voulons être tués et enterrés avec nos ancêtres ici où nous sommes aujourd'hui », ont-ils écrit dans une lettre à la Fundação Nacional do Indio.

Village d'Indiens isolés, proche de la frontière péruvienne. Sédentarisés, ils habitent des maisons communes, cultivent le manioc et pratiquent la chasse et la pêche.

Les Indiens isolés

La photo où ils menacent de leurs armes ceux qui essayent de les approcher a fait le tour du monde. Depuis, le sort de **ces populations vulnérables, fuyant la civilisation moderne** pour protéger leur culture millénaire, attire l'attention des organisations humanitaires. **Il y aurait au Brésil 82 tribus d'Indiens isolés, dont seulement 32 ont été aperçues** et confirmées par la Fondation Nationale de l'Indien. Nous disposons de peu d'informations sur eux et leurs langues sont méconnues. Ils vivent comme avant l'arrivée des Européens sur le continent et défendent avec bravoure leur territoire. Mais que peuvent leurs arcs et flèches face aux fusils des envahisseurs qui les obligent à se replier, chaque fois davantage, dans des régions reculées de la forêt amazonienne ?

Depuis une décennie, la surface déboisée en Amazonie dépasse les 500 000 km², soit l'équivalent de la superficie de la France.

Manifestation d'indigènes à São Paulo en 2011, contre la construction du barrage de Belo Monte.

Raoni
(né vers 1930)

I l est le chef indien le plus connu de la planète. Raoni est le seul leader brésilien à avoir rencontré tous les présidents français, de François Mitterrand à François Hollande. Depuis quatre décennies, et dès qu'il le juge nécessaire, le chef Kayapo, au fameux plateau labial, abandonne son village, Metuktire, au cœur du Brésil, met ses coiffes à plumes dans la valise et part en croisade défendre la forêt amazonienne et les droits des Indiens.

En 1989, Raoni a quitté le Brésil pour la première fois, en compagnie du chanteur Sting, pour rencontrer les grands de ce monde et les inciter à soutenir les campagnes contre la déforestation. En 2012, c'est la lutte contre l'immense barrage de Belo Monte qui lui a fait entreprendre son ultime voyage international. Nul ne connaît l'âge exact de Raoni, qui serait né au début des années 1930 et aurait donc plus de 80 ans. Le vieux guerrier indien, fier de ses victoires contre les *kuben* (les Blancs), continue imperturbablement sa bataille, affirmant « *qu'il doit encore vaincre sa nouvelle adversaire, la présidente Dilma Rousseff* ».

En décembre 2015, Raoni assiste aux débats de la Cop 21 à Paris. Il pose ici aux côtés du secrétaire général de l'ONU, Ban Ki-moon.

UNE INÉGALITÉ PERSISTANTE

Minha Casa Minha Vida

Un « racisme de classe » ?

Le Brésil est un pays multi-ethnique, mais si la nation est fière de sa diversité, **la grande majorité pauvre de la population se heurte souvent à un «plafond de verre» qui empêche toute ascension sociale.** La société actuelle est toujours figée, et cela **malgré l'émergence d'une nouvelle classe moyenne**: les élites et les travailleurs restent séparés par des distances culturelles «*presque aussi grandes que celles qui séparent les différents peuples*», selon la formule du sociologue Darcy Ribeiro.

La perpétuation du fossé entre pauvres et riches est sans doute renforcée par le système éducatif: les écoles privées préparent bien mieux les élèves aux études supérieures que les établissements publics, mais peu de parents peuvent offrir à leurs enfants des frais de scolarité dépassant parfois les mille dollars mensuels. L'accès aux diplômes reste ainsi inégalitaire : c'est la bourgeoisie, historiquement blanche, qui fréquente les universités (dont les meilleures sont publiques, paradoxalement...), et cela malgré la création d'un **système de quotas** favorable aux étudiants noirs ou indiens.

Au regard de cette rigidité sociale, la trajectoire de l'ancien président **Luiz Inácio Lula da Silva,** qui possédait pour seul diplôme un certificat de tourneur mécanique, est exceptionnelle. Mais la méfiance dont les classes dominantes ont fait preuve à son égard révèle aussi à quel point **les préjugés à l'encontre des pauvres restent tenaces.**

Lancée en 2009, l'opération Minha casa, minha vida *est un pilier de la politique sociale du gouvernement. Jusqu'à la fin 2015, 2 432 000 maisons ont ainsi pu être attribuées aux familles mal logées.*

Manifestation pour la mise en place de quotas raciaux et sociaux dans les universités publiques afin d'ouvrir celles-ci aux populations les plus défavorisées.

Examen de prévention dentaire à la polyclinique d'Itaipu, près de Niterói.

La santé pour tous

Depuis la promulgation de la Constitution de 1988, **la santé est officiellement devenue un «droit garanti par l'État»: le «Système Unique de Santé»,** qui a pour vocation d'assurer à tous les citoyens **une couverture universelle et gratuite,** est financé par les budgets de l'État et peut s'appuyer sur le réseau des hôpitaux et des dispensaires ainsi que sur des centres de recherche comme la Fondation Oswaldo Cruz. La création du SUS s'est avérée d'une importance considérable: selon les chiffres du gouvernement fédéral, 75 % des Brésiliens ne disposent pas d'autre couverture sociale que celle proposée par l'État.

L'accès de la population à la santé reste cependant inégal. **L'offre sanitaire varie notamment en fonc-tion des régions ainsi que des revenus** des personnes. Dans le sud-est du pays, il y a deux fois plus de médecins que dans le nord, et les campagnes sont beaucoup moins bien loties que les villes. Afin d'améliorer la couverture sanitaire, le gouvernement fédéral a lancé le programme «Plus de Médecins» cherchant à convaincre le personnel soignant de s'installer dans les zones désertées.

Dans certaines régions, **la pénurie de médecins** est cependant telle que Brasilia s'est décidée à recruter à l'étranger. En 2015, 11 400 médecins cubains exercent au Brésil. Cette initiative a permis à 63 millions de citoyens de consulter un médecin... et a provoqué une fronde majeure parmi le milieu médical national.

Largement médiatisé, le système unique de santé s'appuie aussi bien sur les dispensaires que sur les hôpitaux publics. Mais les équipements coûteux sont le plus souvent limités aux établissements des grandes villes.

Le « Mouvement des Sans-Terre »

Cette célèbre photo de Sebastião Salgado montre des paysans sans-terre qui prennent possession de la plantation Giacometti. État du Paraná, 1996.

Dès la découverte, la question de la propriété foncière accompagne le Brésil. La Couronne, incapable d'assurer le contrôle et l'exploitation de cette immense colonie, délègue à la noblesse portugaise la gestion de ses *Capitanias*. Depuis le XVIIIe siècle, le système de transmission héréditaire a été aboli, mais ni les luttes menées par les abolitionnistes au XIXe siècle, ni les revendications des ligues paysannes n'ont abouti à une redistribution équitable des terres. Aujourd'hui encore, **moins de 1% des propriétés rurales se partagent 42% des surfaces cultivées.**

En 1988, le **« Mouvement des Travailleurs sans Terre »,** ou MST, fondé au crépuscule de la dictature militaire, parvient à faire inclure dans la Constitution un article permettant l'expropriation des fermes qui ne rempliraient pas leur **«fonction sociale»,** mais cette avancée légale ne suffit pas pour résoudre le problème de la précarité des paysans sans terre. Les occupations de propriétés inexploitées, organisées par le MST en réaction à la lenteur des procédures,

enflamment les campagnes et provoquent des douzaines de morts par an.

En arrivant au pouvoir en 2002, **Lula lance un Plan national de réforme agraire qui favorise l'agriculture familiale,** mais les petites fermes pèsent peu face aux **vastes exploitations de soja** qui s'étendent à perte de vue dans le centre-ouest du pays. Celles-ci, participant à l'essor économique des années 2000, peuvent en outre compter sur le soutien de la *bancada ruralista,* un lobby parlementaire qui fait valoir son influence à Brasilia.

Les femmes

● ● ● ● ● ● ● ● ●

L'élection de la première femme à la présidence en 2010 est historique. Dilma Rousseff compte quatre femmes ministres dans son gouvernement, mais **les femmes restent très minoritaires dans le monde politique** et occupent moins de 9 % des sièges au Parlement. Leur participation au marché du travail ne cesse d'augmenter, contrairement à la parité salariale qui est loin d'être acquise. Pour un même poste, **une femme reçoit un salaire inférieur de 30 % à celui d'un homme.** En revanche, **les progrès en termes d'accès à l'éducation et à la santé sont considérables.** Dans ces deux domaines, le pays a même atteint la parité selon le rapport 2013 du Forum économique mondial sur les inégalités entre les sexes. Dans le classement général, le Brésil occupe la 85ᵉ position sur 145 pays.

C'est en matière de violence contre les femmes que beaucoup reste à faire. Depuis 2006, une loi fédérale punit sévèrement ces crimes et garantit une protection aux victimes. Mais la violence n'a pas reculé pour autant. Chaque année, plus de 4 700 femmes meurent au Brésil, principalement sous les coups de leurs conjoints.

Marina Silva
(née en 1958)

Marina Silva est une écologiste et une femme politique née en Amazonie. Politisée dans sa jeunesse par le leader environnementaliste assassiné Chico Mendes, sa trajectoire sociale exceptionnelle l'a menée d'une enfance passée sur une plantation de caoutchouc jusqu'au cœur du jeu politique national. Après avoir été ministre de l'écologie de Lula, elle se présente en 2010 et en 2014 aux élections présidentielles, arrivant les deux fois à la troisième place. Elle jouit aussi d'une reconnaissance internationale et a figuré, fin 2014, sur la liste des dix «femmes de l'année» du *Financial Times*.

Évangéliste, elle adopte des positions sociales plutôt conservatrices, notamment en se prononçant contre l'avortement. «Notre plus grande richesse ne sont pas les réserves de pétrole off-shore, assure-t-elle, mais les 38 populations amazoniennes qui n'entretiennent aucun contact avec la civilisation.»

Comme le Chili, le Brésil est aujourd'hui dirigé par une femme. Le retour de la démocratie a contribué à une lente féminisation de la vie politique et à une meilleure participation des électrices aux différents scrutins.

Bras en croix, le Christ Rédempteur semble bénir la baie de Rio. Haut de 38 m, ce monument fut bâti à l'initiative de la communauté catholique de la ville entre 1922 et 1931.

UN PAYS PROFONDÉMENT RELIGIEUX

Église du Tiers-Ordre de Saint-François, à Ouro Preto. La façade est l'œuvre du sculpteur et architecte Aleijadinho (1738-1814).

Le plus grand pays catholique du monde

Le Brésil compte **123 millions de citoyens** qui se déclarent catholiques – ce qui correspond à 60 % de la population – formant ainsi **la plus grande communauté catholique au monde.** La présence de l'Église reflète en premier lieu le rôle prépondérant autrefois joué par le Vatican sur la péninsule ibérique : les religieux ont accompagné les navigateurs depuis leur premier voyage, et dès le milieu du XVIe siècle, **les ordres religieux (franciscains, carmélites et surtout jésuites) ont activement participé à la colonisation du territoire,** notamment en organisant l'éducation dans les collèges et en évangélisant les Indiens.

Après la proclamation de la République (1890), le gouvernement a décrété **la séparation de l'Église et de l'État.** Mais la religion est restée enracinée au Brésil, au point que **Rio de Janeiro** s'est dotée, en 1931, d'une gigantesque statue du Christ Rédempteur. Aujourd'hui, ce monument est mondialement connu – alors que la ville, paradoxalement, abrite le plus petit pourcentage de croyants au pays : 48 % seulement des *cariocas* se déclarent catholiques...

L'engagement de l'Église

Longtemps, l'Église catholique brésilienne est restée muette face à la misère. Dans les années 1960, des prêtres libéraux, révoltés par les conditions de vie déplorables des pauvres, ont cependant entrepris de combattre les inégalités. Ces « théologiens de la libération », tels Leonardo Boff ou Hélder Câmara, n'ont pas hésité à s'opposer à leur hiérarchie religieuse pour défendre leur conception de l'idéal chrétien.

En dénonçant les conditions de vie des « sans-terre » et la précarité du logement dans les favelas, ils se sont aussi engagés **contre un modèle de société capitaliste, brutal et injuste.** Ces prises de position politiques n'ont pas été sans risque, notamment pendant la dictature militaire. Aujourd'hui, les thèses de la théologie de la libération trouvent un certain écho dans les mouvements ; **Frei Betto,** un autre représentant de ce courant, a inspiré **le projet « faim zéro »,** un programme d'aide alimentaire mis en place par le gouvernement de Lula afin d'éradiquer famines et malnutrition au Brésil.

Les 18ᵉ Journées mondiales de la jeunesse (JMJ) se sont tenues à Rio du 23 au 28 juillet 2013. Elles ont rassemblé près de 2 millions de participants.

JMJ Rio2013

Messe solennelle célébrée par le pape François en la basilique Notre-Dame d'Aparecida (État de São Paulo), le 24 juillet 2013. Dédié à la sainte patronne du Brésil, cet édifice est le deuxième plus grand de la chrétienté après Saint-Pierre de Rome.

Les grandes figures du Brésil

Dom Odilo Scherer
(né en 1949)

En février 2013, la surprenante renonciation de Benoît XVI donna l'espoir au Brésil que le nouveau pape serait un représentant de la plus grande nation catholique au monde. Pendant presque un mois, le cardinal Odilo Scherer, archevêque de São Paulo depuis 2007, fut l'un des *papabiles* favoris ; conservateur mais adepte des nouvelles technologies, il était vu comme un religieux capable d'incarner le renouveau dont l'Église catholique avait besoin. Ses autres atouts étaient sa jeunesse, le fait d'être polyglotte et d'avoir des origines allemandes, ce qui aurait pu faciliter l'appui des cardinaux d'Europe. Mais si l'Amérique du Sud fut bien au rendez-vous du conclave, c'est pour un Argentin que s'éleva la fumée blanche : Jorge Mario Bergoglio, archevêque de Buenos Aires, bientôt pape François.

Fille de pasteurs, née à Belo Horizonte, Ana Paula Valadão a fondé Diante do Trono (Devant le Trône), le plus célèbre groupe de musique chrétienne au Brésil.

« Seul l'amour nous sauvera, Dieu est Amour», proclame cette fresque murale à Rio.

L'essor des églises évangéliques

Depuis une trentaine d'années, les évangélistes brésiliens ont réalisé une percée remarquable. **Environ 25 % de la population** fréquentent aujourd'hui leurs lieux de culte, et leur nombre est croissant, au détriment du catholicisme.

Les cérémonies des évangélistes sont chaudes et spectaculaires, plus proches en cela des Églises nord-américaines que de la tradition calviniste connue en Europe. Ces mouvements du protestantisme, et en premier lieu «l'Église universelle du royaume de Dieu» dirigée par Edir Macedo, ont réussi à se mettre au diapason de l'époque : présents à la fois à la télévision et dans le paysage politique, les «néo-pentecôtistes», ou *crentes*, exercent **une influence sociale considérable**.

Syncrétisme religieux et *candomblé*

Le syncrétisme religieux désigne le brassage, voire **la fusion de croyances et de rituels issus de religions différentes.** Au Brésil colonial, c'est l'interdiction des rituels africains qui avait provoqué cette fusion : les dieux que les bateaux négriers avaient introduits au Nouveau Monde étant proscrits par le clergé, **les Noirs de Bahia et de Rio de Janeiro devaient donc pratiquer leur culte en cachette.** Toutefois, afin de faciliter la conversion, l'Église avait encouragé l'association des divinités africaines aux saints catholiques ; *Iemanja*, la déesse de la mer, a ainsi été assimilée à la Vierge tandis qu'*Ogun*, au caractère guerrier, est souvent représenté sous les traits de saint Georges.

Le *candomblé* est l'une des religions afro-brésiliennes les plus populaires de Bahia. Originaire de l'actuel Nigeria, pratiqué par la population yoruba, le candomblé repose sur un panthéon composé de divinités appelées *Orixás*. Le culte est célébré dans les *terreiros* lors de cérémonies présidées par des prêtres. Les *Orixás* peuvent « descendre sur terre » et **se manifester à travers les corps des initiés en transe.** Le sacrifice d'animaux, pratiqué lors de ces offices, rappelle les rituels du **vaudou** haïtien.

Pierre Verger
(1902-1996)

Pierre Fatumbi Verger, ethnologue et photographe français, a passé la majeure partie de sa vie à Salvador de Bahia. Son intérêt pour les cultes afro-brésiliens l'a amené à s'initier aux rites du *candomblé*. En 1952, lors d'un voyage au Bénin, il devient prêtre yoruba et reçoit comme nom Fatumbi, « Celui qui renaît par Ifa ».

Messager entre les deux rives brésilienne et africaine de l'Atlantique, il a rédigé de nombreuses études qui abordent l'univers religieux de la culture afro-bahianaise.

Introduit au Brésil avec la traite des Noirs, le candomblé est une religion dérivée de l'animisme africain, un mélange subtil de croyances yoruba, bantú et fon. Lors des cérémonies, les femmes tiennent un rôle important.

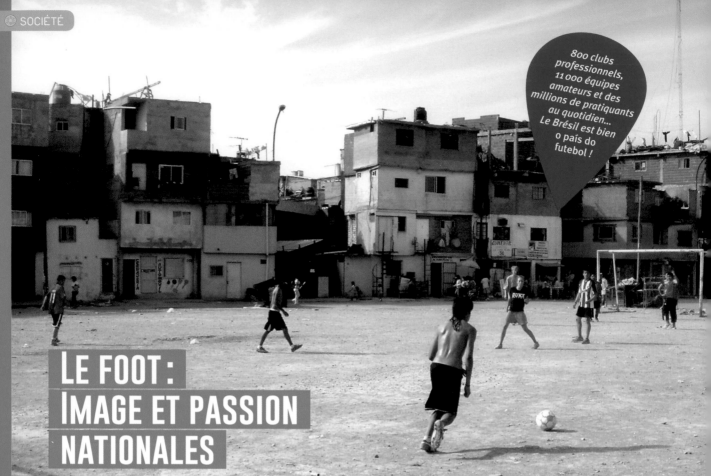

800 clubs professionnels, 11 000 équipes amateurs et des millions de pratiquants au quotidien... Le Brésil est bien o país do futebol !

LE FOOT : IMAGE ET PASSION NATIONALES

« Poudre de riz » : le foot comme ascenseur social

Si le football est né en Angleterre, le Brésil est sa deuxième patrie ! Il y est arrivé en 1894 et a rapidement conquis le pays. Mais le sport le plus populaire du pays fut **à ses débuts réservé à l'élite blanche !** Jusqu'en 1933, l'amateurisme était la règle. La pratique du football était interdite aux analphabètes, ce qui excluait des pelouses les pauvres, métis et noirs. Plusieurs astuces ont permis de contourner l'interdit, la plus folklorique étant celle de la « poudre de riz ». En 1914, un joueur de couleur recruté par le Fluminense a **blanchi sa peau avec de la poudre de riz** pour ne pas choquer les supporteurs aristocratiques du déjà célèbre club de Rio !

Avec la professionnalisation, la démocratisation du football brésilien s'accélère. Le sport devient l'ascenseur social pour des centaines de jeunes qui excellent dans **« l'art de jouer au ballon comme on**

Thiago Silva (né en 1984), défenseur.

Neymar (né en 1992), attaquant et capitaine de la sélection.

Marcelo (né en 1988), défenseur.

danse la samba ». Le football devient une expression de la « brésilianité » métisse et l'un des meilleurs « produits d'exportation » du pays. Depuis plusieurs années, **les joueurs brésiliens dominent le marché des transferts internationaux** et évoluent dans les grands clubs européens. En 2012, 1 463 footballeurs brésiliens ont changé de pays en générant 121 millions de dollars de recettes aux clubs. Le dernier génie du ballon rond à quitter le Brésil est **Neymar**. Le FC Barcelone a déboursé 57 millions d'euros pour le jeune attaquant (né en 1992) qui est déjà considéré comme l'un des meilleurs du monde, dans la lignée des **Garrincha, Pelé, Zico, Romário, Ronaldo et Ronaldinho.**

Pour 86 derbies Fla-Flu disputés, on compte 32 victoires pour Flamengo, 29 pour Fluminense et 25 matchs nuls.

Le *Fla-Flu* au Maracanã

Le match de fin d'après-midi est le programme traditionnel des dimanches brésiliens. «*Brésil est vide dimanche après-midi, n'est-ce pas ? Regarde cette samba, ici c'est le pays du football*», confirme la musique de Milton Nascimento et Fernando Brant. Les rues des grandes villes se vident, et tout particulièrement à Rio de Janeiro quand **les adversaires historiques, Fluminense et Flamengo, s'affrontent dans le légendaire stade du Maracanã.** Le *Fla-Flu* est le derby des derbys !

Le Flamengo, roi des clubs brésiliens avec plus de 32 millions de supporters, est né il y a plus de cent ans d'une scission du Fluminense ! Le record d'affluence pour un *Fla-Flu* a été battu en 1963, lors de la finale du championnat. Le Maracanã était alors le plus grand stade du monde et **plus de 177 000 spectateurs ont assisté au match.** Depuis, le temple du foot brésilien, modernisé pour accueillir la Coupe de monde de 2014, a vu le nombre de ses places réduites de moitié. Mais à chaque *Fla-Flu*, la passion qui anime les supporters reste la même et l'enthousiasme est audible jusqu'à Niterói, de l'autre côté de la baie de Guanabara.

Pelé
(né en 1940)

Edson Arantes do Nascimento est né dans une famille pauvre à Três Corações (Minas Gerais). Il a très vite acquis une notoriété nationale, puis mondiale. Au Brésil, on le surnomme le «roi Pelé» en raison de son palmarès inégalé. Est-il ou non le meilleur joueur de tous les temps ? À propos de ce débat éternel qui l'a jadis confronté à Maradona et aujourd'hui à Lionel Messi, tous deux Argentins, le roi répond, impassible : «*Quand Messi aura marqué 1 283 buts et gagné trois Coupes comme moi, on en reparlera...*»

Les questions de race et de racisme ont toujours accompagné la carrière de Pelé. Il affirme être traité comme s'il appartenait à une autre espèce, «*ni Blanc, ni Noir, mais célèbre*», mais soutient aussi que «*le racisme n'existe pas au Brésil*». Néanmoins, le «joueur du siècle» désigné par la FIFA a été le premier Noir à être nommé ministre au Brésil – ministre des Sports, bien sûr, entre 1995 et 1998. Il est fier de cette expérience : en faisant voter la «loi Pelé», qui a aboli le droit de propriété des clubs sur les joueurs, il considère «*avoir affranchi les footballeurs brésiliens de l'esclavage*».

Un maillot courtisé par les politiques

Le Brésil est le seul pays à avoir disputé toutes les Coupes du monde. L'équipe brésilienne est aussi la seule à avoir remporté **cinq titres mondiaux,** en 1958, 1964, 1970, 1994 et 2002.

Lors de la conquête de la troisième coupe, en 1970, le Brésil vivait l'un des pires moments de la dictature militaire. Le président général de l'époque, Garastazu Médici, sut tirer profit de ces victoires en faisant appel à un patriotisme primaire qui a mobilisé les masses.

La démocratie était de retour lors des deux derniers titres. Comme en 1970, les joueurs ont été reçus à Brasília, mais le peuple a pu célébrer les victoires dans la rue sans craindre une récupération politique. Cette séparation entre sport et politique a été encore plus évidente lors de la dernière Coupe des Confédérations de la FIFA, disputée au Brésil en 2013. Pendant que la *seleção auriverde* brillait sur les pelouses, **les indignés brésiliens** orchestraient sur le bitume la plus surprenante vague de protestation des dernières années – justement **contre les coûts exorbitants engendrés par l'organisation de la Coupe du monde de 2014.**

L'élimination traumatisante de l'équipe nationale lors de la demi-finale de la Copa aura-t-elle « démonétisé » le football brésilien ? Si le maillot jaune a incontestablement perdu de son lustre, l'« équipe de rêve 2015 » de la FIFA, composée des onze meilleurs joueurs des plus grands championnats de la planète, compte toujours sur le talent de 4 Brésiliens.

Les autres sports

Le culte du foot met sur la touche les autres pratiques sportives du pays. **Le volley-ball,** avec ses 85 000 joueurs de haut niveau et ses 15 millions d'adeptes, est le **deuxième sport le plus pratiqué au Brésil.** Les équipes nationales de volley ont accumulé des titres tout au long de leur histoire.

Parmi les sports individuels, **la natation,** comptant 11 millions d'amateurs, est la discipline la plus populaire. **Cesar Cielo** est son actuelle idole : en 2013, il a été sacré pour la troisième fois consécutive champion du monde du 50 m nage libre. **Le tennis** s'est popularisé au Brésil avec les exploits de **Gustavo Kuerten,** trois fois champion à Roland Garros (1997, 2000 et 2001). **La Formule 1** est aussi un sport qui passionne les Brésiliens. Le pays cherche toujours un successeur à **Ayrton Senna,** l'un des meilleurs pilotes de l'histoire, mort au volant en 1994, dont la disparition a ému la nation entière.

César Cielo, né en 1987.

Gustavo Kuerten, né en 1976.

Ayrton Senna (1960-1994).

Les J.O. de 2016 à Rio

Le succès de la candidature de Rio de Janeiro pour l'accueil des Jeux olympiques d'été de 2016 était avant tout une **réussite diplomatique.** Afin de permettre au Brésil de s'imposer également dans les épreuves sportives, le gouvernement a mis en place des **bourses destinées aux athlètes** figurant dans le Top 20 mondial de leur discipline. Si cette mesure ne suffit probablement pas à menacer la position hégémonique des États-Unis ou de la Chine, les Jeux olympiques fourniront au Brésil l'opportunité de défendre ses chances dans les domaines où ses sportifs ont l'habitude de briller : le gymnaste **Arthur Zanetti,** comme les volleyeuses, est médaillé d'or des JO de Londres, l'équipe féminine de hand-ball avait remporté les championnats du monde en 2013.

Robert Scheidt, qui participera aux régates sur la baie de Guanabara, est l'un des athlètes les plus titrés du Brésil, avec deux médailles d'or, deux d'argent et une de bronze à son actif. Quant au kayakiste **Isaquias Queiroz,** double champion du monde, il défendra les couleurs brésiliennes sur la lagune Rodrigo de Freitas — certainement la plus belle arène sportive que la ville puisse offrir.

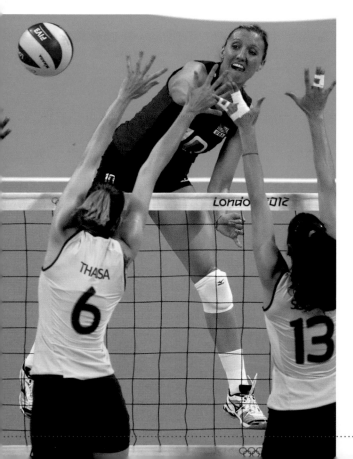

Brésil-États-Unis, finale des Jeux olympiques de Londres (2012).

LA VIOLENCE

Favelas et trafic de drogue

Les premières favelas ont surgi à la fin du XIXe siècle, à la suite de l'abolition de l'esclavage, de la chute de la production caféière et du début du processus d'industrialisation. Depuis, les bidonvilles n'ont jamais disparu du paysage urbain, malgré les différentes phases de croissance économique et les nombreuses politiques du logement mises en œuvre : **plus de 11 millions de Brésiliens, soit 5 % de la population, vivent aujourd'hui dans un habitat précaire.**

Dans beaucoup de villes, les constructions en briques ont remplacé les huttes en bois et les baraques de tôle, mais les résidents souffrent toujours du **manque d'infrastructures et d'équipements.** L'absence des services de l'État a favorisé l'implantation des **narcotrafiquants,** et la violence engendrée par l'économie de la drogue a provoqué une véritable **explosion des homicides :** en 2014, le Brésil a connu 54 397 meurtres ! La plupart des victimes sont des jeunes *favelados*, âgés de quinze à trente ans. Depuis les années 1990, la violence qui règne dans les favelas s'apparente à une véritable épidémie – l'espérance de vie de leurs habitants est inférieure de sept années à celle des autres Brésiliens.

Les principales organisations criminelles – **le *Primeiro Comando da Capital*** de São Paulo et **le *Comando Vermelho*** de Rio – se sont constituées dans les prisons, la première en réaction à un massacre perpétué par les forces de l'ordre dans le pénitencier de Carandirú, la deuxième au contact des militants de gauche incarcérés pendant la dictature.

Aujourd'hui, ces organisations ont perdu toute dimension politique. **La violence des gangs s'exprime surtout contre l'ordre public :** en 2012, suite à une prétendue rupture d'un armistice conclu avec la police, le PCC n'a pas hésité à déclencher une véritable vague d'attentats, tuant près de 70 représentants des forces de l'ordre.

L'armée patrouille au cœur du Complexo de Alemão, un ensemble de treize favelas situées dans le nord de Rio de Janeiro.

Saisie record de cocaïne Scorpion importée de Colombie. Elle est vendue plus de 3 500 euros le kilo aux «grossistes» brésiliens.

La Rocinha est la plus grosse favela de Rio de Janeiro. Elle compte environ 70 000 habitants.

La violence quotidienne

Les habitants des quartiers périphériques sont les premières victimes de la violence urbaine, mais les **Brésiliens de la classe moyenne** ne sont pas à l'abri des tensions qui traversent la société. La circulation des armes à feu, initiée par l'économie de la drogue, nourrit la guerre entre des organisations criminelles rivales, provoquant régulièrement des **décès dus à des balles perdues** – que ce soit dans la rue, dans des quartiers aux alentours des favelas ou même dans les écoles.

Les vols avec violence et les **« enlèvements éclair »** – des rapts au cours desquels on force les victimes à vider leur compte en banque – sont une autre hypothèque qui pèse sur la société. En réaction à ce sentiment d'insécurité, de plus en de plus d'habitants des grandes villes tentent d'organiser eux-mêmes leur protection. Les immeubles de la classe moyenne se voient cernés par des murs infranchissables et gardés par des vigiles privés, les voitures blindées battent des records de vente : **à Rio et à São Paulo notamment, la violence a généré une véritable « industrie sécuritaire ».**

Image du film Rio, ligne 174,
réalisé par Bruno Barreto en 2008.

Pacifier les favelas

Depuis 2008, le gouvernement de l'État de Rio de Janeiro a pris des mesures contre la violence qui sévit dans les favelas. **L'objectif annoncé était de « pacifier » quarante bidonvilles avant la Coupe du Monde de 2014 et les J.O. de 2016.** Depuis le lancement de cette politique, plus de trente « communautés » ont fait l'objet d'une occupation de la part de la police. Car contrairement au passé, où les forces de l'ordre avaient pour habitude d'envahir les favelas afin de neutraliser les narcotrafiquants, la nouvelle stratégie consiste à **«*reprendre le territoire pour y rester*»**, selon l'expression d u secrétaire à la Sécurité, José Mariano Beltrame. Grâce à cette politique, Beltrame est devenu l'un des policiers les plus populaires du pays.

Dans le cadre de cette stratégie, le gouvernement envoie dans un premier temps des troupes d'élite occuper les quartiers dangereux – après trois mois, les soldats sont remplacés par la police régulière et des « Unités de police pacificatrice ». **Ces UPP ont vocation à participer à la vie sociale** : les membres des unités organisent la collecte des ordures, sécurisent les écoles et établissent des documents légaux tels que certificats de naissance ou de mariage. Si le pari consistant à pacifier les favelas de Rio est loin d'être gagné, la présence des UPP a rendu **certains bidonvilles à nouveau fréquentables.**

Pochoir mural ironisant sur la réalité de la pacification menée dans les favelas.

Des membres d'une unité d'élite de la police, dans une favela de Rio de Janeiro (avril 2013).

Le sort d'un habitant de la favela de la Rocinha, Amarildo de Souza, 42 ans, porté disparu en juillet 2013 après un interrogatoire par la police, est au cœur d'une vive polémique à Rio, suscitant des manifestations.

Les milices

Les milices sont des groupes paramilitaires formés par des policiers, des pompiers ou des agents pénitentiaires. Dans les favelas, ce sont elles qui imposent la loi. Les miliciens assurent la sécurité aux trafiquants, vendent l'accès clandestin au gaz, contrôlent les transports publics. Si *« le trafic est l'enfer »*, comme le formule Mário Sérgio de Brito Duarte, un ex-commandant de la police militaire de Rio, *« la milice est le purgatoire »* : réalisant **un chiffre d'affaires annuel de près de trente millions d'euros,** la milice est en mesure de corrompre de nombreux services et structures de l'État.
En 2008, une commission d'enquête consacrée à cette **mafia** a pu convoquer près de 150 personnes pour témoigner devant l'Assemblée, dont plusieurs élus et même un ancien chef de la police civile. Depuis 2012, une loi qualifie la formation d'une milice ou d'une organisation paramilitaire comme un crime, les peines prévues par le code pénal allant de quatre à huit années de prison. En cas d'homicide, l'appartenance à une milice constitue une circonstance aggravante. Cependant, les milices sont toujours très actives.

Sandro do Nascimento*
(1978-2000)

Depuis le drame de la prise d'otages du « bus 174 », le visage de Sandro do Nascimento est devenu le symbole de la violence urbaine au Brésil. En juin 2000, le jeune homme tente de détourner un bus de la ligne 174 dans un quartier résidentiel de Rio de Janeiro. L'événement, retransmis en direct par toutes les télévisions, se termine avec l'intervention de la police ; Sandro, ainsi qu'une passagère, mourront au cours de l'opération.

Si la tragédie secoue le Brésil, c'est parce que la biographie du jeune criminel est révélatrice d'un malaise social : à l'âge de trois ans, il voit sa mère assassinée devant ses yeux, quatre ans plus tard, devenu « enfant des rues », il survit miraculeusement au massacre de la Candelária – en 1993, un groupe de paramilitaires avait assassiné huit jeunes qui dormaient devant l'église du centre de Rio. Sandro fait partie de cette « génération perdue » qui, aux yeux de la société, n'existe qu'au moment des crimes qu'elle subit ou qu'elle commet.

* Image tiré du film Bus 174

POLITIQUES ET CORRUPTIONS

Séance à l'Assemblée des députés, l'une des deux chambres qui composent le Congrès national.

Une démocratie consolidée

Le Brésil vit la plus longue période démocratique consécutive de son histoire ; depuis 1985 et la fin de la dictature, les Brésiliens élisent librement tous leurs gouvernants. **Le pays est une république fédérative et présidentialiste, composée de 26 États et du District fédéral, siège de la capitale Brasilia.** Le vote, électronique depuis 1996, est **obligatoire** pour les électeurs ayant entre 18 et 70 ans. Il est optionnel pour les jeunes entre 16 et 18 ans, pour ceux qui ont plus de 70 ans et pour les analphabètes. Le président de la République, les gouverneurs d'État ainsi que les maires sont élus au système majoritaire à deux tours. Leur mandat est de quatre ans, renouvelable une seule fois

Au niveau fédéral, le pouvoir législatif est représenté par **le Congrès national, formé par le Sénat et l'Assemblée des députés.** Les sénateurs, élus au scrutin majoritaire, ont un mandat de huit ans. Les députés, qui disposent d'un mandat de quatre ans renouvelable indéfiniment, sont choisis au système proportionnel sur liste ouverte. Les candidats ayant le plus de votes sont élus.

Le Congrès est également chargé d'examiner les demandes d'*impeachment* comme celle qui a été formulée, fin 2015, pour « irrégularités budgétaires », à l'égard de Dilma Rousseff. La destitution d'un président de la République est **une procédure rare, mais pas inédite** : en 1992, le Brésil a ainsi écarté de la présidence Fernando Collor, convaincu, lui, de corruption. Dans un premier temps, c'est à l'Assemblée d'approuver la légitimité du processus. Au cas où les parlementaires jugent la demande d'impeachment recevable à la majorité des deux tiers des voix, le Sénat se prononcera à son tour. Si le mandat de Dilma Rousseff venait à être définitivement cassé, le pouvoir reviendrait au vice-président Michel Temer.

Un Parlement éclaté

Le système électoral favorise la multiplication des **candidats et des partis** — il y en a trente-cinq, de nos jours –, ce qui rend malaisée l'obtention d'une majorité au Parlement et **oblige le président à former des coalitions,** y compris avec des partis idéologiquement très différents. Cette contrainte limite fortement sa marge de manœuvre.

Le PT, parti de Dilma Rousseff, occupe ainsi seulement 70 des 513 sièges de l'Assemblée de députés à Brasília. Afin de disposer d'une majorité, le gouvernement est contraint de s'appuyer sur une base hétéroclite, composée de plus de 10 partis ! Comme les formations politiques et les parlementaires n'hésitent pas à moyenner leur appui, **les scandales de corruption les impliquant sont fréquents.** Des associations telles l'AMARRIBO (la représentante de Transparence Internationale au Brésil), soutenues par une opinion publique exaspérée par les dysfonctionnements de la démocratie, demandent une réforme pour **moraliser la vie politique ;** mais la majorité des parlementaires, qui voient leurs privilèges menacés, résistent et bloquent les changements nécessaires.

Machine à voter électronique.

Logo de l'association Amarribo.

« Aidez-nous à balayer la corruption ! ».
Dans tout le pays, des associations arborent des balais symboliques aux couleurs du Brésil. S'appuyant sur les réseaux sociaux, elles font signer des pétitions et organisent des manifestations.

Mensalão et Petrolão, des scandales diviseurs des eaux ?

L'arrivée du PT au pouvoir à Brasília en 2003 suscite un énorme espoir. Le Parti des Travailleurs, qui avait déjà fait ses preuves aux commandes de quelques grandes villes comme Porto Alegre ou São Paulo (ainsi qu'au gouvernement d'États tels le Rio Grande do Sul et le Distrito Federal), avait l'image d'une **organisation éthique,** engagée contre la corruption endémique du pays. Mais la population déchante vite. Outre quelques scandales de détournement de fonds, **la révélation en 2005 d'un vaste système de rémunération occulte des députés** en échange de leur appui au Parlement choque l'opinion publique.

Si cette affaire, connue sous le nom du *mensalão*, entache les deux mandats de Lula, le scandale de corruption touchant l'entreprise nationale Petrobras restera associé à la présidence de Dilma Rousseff. L'enquête policière, qui a débuté en mars 2014, a révélé que l'entreprise pétrolière ainsi que des géants brésiliens du BTP tels Odebrecht et Camargo Correia ont instauré un système de surfacturation permettant le **détournement d'au moins 10 milliards de réaux !** De telles sommes ont principalement servi au financement des partis politiques, notamment du PT et de ses alliés.

Ces scandales ont provoqué un séisme politique au Brésil, et il n'est pas exclu qu'ils entraîneront des changements structurels visant à empêcher les dysfonctionnements dans l'attribution des marchés publics. La justice en tout cas fonctionne : dans le cas du *mensalão*, les tribunaux ont prononcé 25 condamnations, dont celle de José Dirceu, ancien ministre de la Casa Civil, tandis que l'enquête sur le *petrolão* a déjà entraîné la prison préventive pour de nombreux industriels et politiques. Une réaction historique dans un pays habitué à l'impunité de ses gouvernants !

Dilma Rousseff et Joaquim Barbosa, ex-président du Tribunal fédéral suprême qui a jugé le mensalão.

PERDEU, DIRCEU. MAS O BRASIL GANHOU.
JOSÉ DIRCEU, CORRUPTO, CONDENADO PELO STF.

L'ancien ministre José Dirceu, cible favorite des humoristes et des caricaturistes brésiliens.

La loi dite du « casier judiciaire vierge »

Une des figures traditionnelles de la politique brésilienne est l'homme politique qui «*vole, mais agit*» (*rouba, mas faz*) : **le gouvernant qui, même accusé de corruption, est réélu grâce aux travaux qu'il réalise.** Actuellement, Paulo Maluf est le plus illustre représentant de cette tradition. Sa condamnation en 2001 pour le détournement de 93 millions de dollars n'a pas empêché l'ex-maire et gouverneur de São Paulo de se faire élire et réélire député fédéral, en 2006 et 2010.

Néanmoins, sous la pression de la société civile, le parlement est amené à voté la « Loi du casier vierge » (*ficha limpa*). Entrée en vigueur en 2012, cette mesure rend **inéligibles les politiques condamnés,** mais elle n'aura de conséquences au niveau fédéral que lors des prochaines élections. Aussi, pour combattre la corruption, le gouvernement décrète, en 2011, la loi de « l'accès à l'information », obligeant à rendre publiques toutes les actions de l'administration.

Grâce à ces efforts, le Brésil a reculé un peu dans l'indice mondial de perception de la corruption établi par l'ONG *Transparency International* mais occupe toujours une position médiane, à la 69ᵉ place sur 175 pays.

LES PRINCIPAUX PARTIS BRÉSILIENS

 • Le PMDB (Parti du mouvement démocratique brésilien) est le plus grand parti du pays. Historiquement, il rassemblait l'opposition légale au régime militaire, mais depuis la « redémocratisation », il n'a plus un positionnement idéologique très clair. Le PMDB participe à l'actuelle coalition au pouvoir.

 • Le PT (Parti des travailleurs) est le parti de la présidente Dilma Rousseff. La formation de gauche qui a conquis Brasilia en 2003, avec l'élection d'un de ses fondateurs, Lula da Silva, éprouve une certaine usure après plus de treize années au pouvoir.

 • Le PSDB (Parti de la social-démocratie brésilienne) est actuellement la principale formation d'opposition. Le parti de l'ex-président Fernando Henrique Cardoso, qui a dirigé le pays entre 1995 et 2002, est aujourd'hui dirigé par Aécio Neves, candidat aux prochaines élections présidentielles.

 • Le PSB (Parti socialiste brésilien) historiquement de gauche, le PSB a pu compter, à la fin du XXᵉ siècle, sur le talent politique de Miguel Arraes, élu gouverneur à trois reprises de l'État du Pernambouco. Après la mort accidentelle d'Eduardo Campos, son candidat à l'élection présidentielle de 2014, le parti investit Marina Silva, qui atteint 21,32% au premier tour.

 • Le DEM (Démocrates) est le nouveau nom du Parti du front libéral (PFL), né en 1985 d'une dissidence de la formation qui appuyait le gouvernement militaire. Depuis que le PT est au pouvoir, il est dans l'opposition.

 • La Rede Sustentibilidade légalisé depuis 2015, le « réseau développement durable », fondé par Marina Silva, se définit comme « ni de gauche ni de droite » et n'envisage que des alliances ponctuelles. Si le parti profite de la renommée de sa fondatrice, son poids politique ne se révèlera qu'aux prochaines élections.

LA PLAGE

La culture du corps

Gisele Bündchen

Des corps sculptés et bronzés par le soleil, allongés en string sur la plage : voilà une des images d'Épinal du Brésil que des beautés parfaites comme les top models **Gisele Bündchen** ou Adriana Lima ne font qu'amplifier. Avec une température moyenne de plus de 25°C toute l'année, les Brésiliens s'habillent légèrement et exhibent beaucoup plus leurs corps dans l'espace public qu'un Européen.

Dès lors, le moindre kilo superflu est perceptible. Pour maintenir la forme, les Brésiliens, hommes et femmes, n'économisent pas leurs efforts. Ils emplissent les **nombreuses salles de gym'** dupays, ouvertes presque 24 heures sur 24, et ont recours sans vergogne à la **chirurgie esthétique** – le Brésil en serait même le leader planétaire. En 2011, 905 000 chirurgies esthétiques sont pratiquées au pays, ce qui donne une moyenne de 103 par heure ! Mais tout cliché a son contraire. Beaucoup de Brésiliens n'ont ni le temps, ni l'argent ou tout simplement ne veulent pas se soumettre à ce diktat et montrent sans complexe leurs rondeurs. Presque 50 % de la population est en surpoids, **plus de 15 % est obèse,** chiffres qui inquiètent les autorités.

Pochette du disque Garôta de Ipanema
(La fille d'Ipanema), 1962.

7 500 km de littoral tropical

La douceur de vivre, la sensualité et les belles plages brésiliennes ont inspiré les plus grands musiciens du pays. Des chansons comme *Garôta de Ipanema* enchantent le monde et, tous les ans, des milliers de touristes débarquent sur les *praias* brésiliennes à la recherche «*des corps dorés, balançant doucement vers la mer*».

Côté plages, ils ne sont pas déçus. Le pays possède le plus grand littoral tropical de la planète. Sur les 7 500 kilomètres de ses côtes, 2 045 plages ont été recensées. Grâce au climat, elles sont accessibles presque toute l'année.

Gratuites et fréquentées par toutes les classes sociales, **les plages sont considérées comme l'endroit le plus démocratique du Brésil.** La réalité est bien différente ! Les meilleures plages, les plus belles et les moins **polluées** sont à des kilomètres de distance des quartiers populaires. Même si riches et pauvres se côtoient sur le sable blanc d'Ipanema ou de Copacabana, **les distinctions sociales sont toujours visibles, malgré les corps presque nus.**

Surnommée Princesinha do Mar, (Petite Princesse de la Mer), la plage de Copacabana est l'un des emblèmes touristiques de Rio de Janeiro, comme le Corcovado ou le Mont du Pain de Sucre.

Copacabana : un nom magique

Le beach volley féminin, une occasion de faire valoir son adresse… et sa plastique.

Copacabana est la plus fameuse plage brésilienne. Imperturbablement, elle reste, depuis le début du XXᵉ siècle, l'éternelle carte postale de Rio de Janeiro et du Brésil. La « petite princesse de la mer », comme elle est appelée par les *cariocas*, frappe le regard avec ses 4,15 kilomètres de sable blanc, élégamment courbée en forme de paupière ouverte vers l'océan Atlantique.

Animée jour et nuit, été comme hiver, Copacabana est l'essence de la plage brésilienne. Les premiers habitués arrivent à l'aube pour faire du **jogging** sur le trottoir orné de pierres portugaises. Peu à peu, la plage se remplit, mais en suivant une géographie bien connue des cariocas : Copacabana est divisée par six « postes de maîtres nageurs », et chaque poste a ses habitués.

La plage est un endroit de détente au soleil, de convivialité, mais elle est aussi **un terrain de sport**.

On y pratique le football, le beach volley, la musculation et bien sûr le surf. On y passe presque la journée entière et, au coucher du soleil, on se rafraîchit en sirotant un apéro ou une « eau de noix de coco glacée » proposée par les kiosques du *calçadão*.

Pendant les week-ends et les vacances d'été, toute cette agitation est multipliée : vue du ciel, la plage est tachée par des milliers de points colorés. La nuit, Copacabana offre un peu de fraîcheur aux promeneurs. La plage est aussi souvent le décor de mégas événements comme le show des Rolling Stones en 2006, ou, plus récemment, les Journées Mondiales de la Jeunesse, sans oublier son traditionnel feu d'artifice de la Saint-Silvestre qui rassemble à chaque Nouvel An plus de trois millions de personnes.

Trois des petits métiers de la plage qui font le charme d'Ipanema et Copacabana.

L'économie de la plage

La plage brésilienne ne serait pas la même s'il n'y avait pas ses **vendeurs ambulants.** Très créatifs et toujours de bonne humeur, ils arpentent le sable en criant les mérites de leurs produits. Légalisés depuis peu, ils vendent tous les articles liés à la plage, de la nourriture au maillot de bain. D'ailleurs, c'est à Ipanema et Copacabana que **la mode du bikini** de la saison est lancée. Ce commerce dans le sable emploie 2 500 vendeurs à Rio et génère des centaines de millions d'euros (330 millions d'euros en 2010). Une étude très sérieuse du « Service d'appui aux PME » vient d'ailleurs de le prouver : l'ambiance détendue qui règne sur les plages est favorable aux affaires !

Le surf radical de la *pororoca*

Pororoca (grand bruit) est le nom de la grande vague provoquée par le choc entre la mer et le fleuve Amazone, lors des forts coefficients de marée. Ce phénomène naturel, **l'équivalent du mascaret en France,** attire des surfeurs du monde entier, principalement au mois d'avril. C'est à ce moment de l'année que la *pororoca* est à son comble.

Les vagues peuvent atteindre entre 4 et 6 m de hauteur et avancer jusqu'à 50 km en amont du fleuve à une vitesse de 30 km/h. Ce phénomène peut durer environ une heure et demie. Depuis le début des années 2000, un championnat de surf est organisé tous les ans dans la petite ville de São Domingos do Capim, à l'embouchure de l'Amazone. Néanmoins, les organisateurs préviennent les amateurs de sensations fortes : *« Ceux qui craignent les piranhas et les autres bestioles dont l'Amazone regorge, s'abstenir ! »*

Ivo Pitanguy
(né en 1926)

Ivo Pitanguy est considéré comme le pape de la chirurgie esthétique. Convaincu que « la chirurgie esthétique est un moyen pour atteindre l'harmonie entre le corps et l'esprit », il est le pionnier de la pratique au Brésil. En plus de soixante ans de carrière, il a rajeuni dans sa clinique de Rio de Janeiro des célébrités du monde entier. Pitanguy, qui dans sa jeunesse s'est spécialisé en France, est aussi un défenseur du lifting pour tous. Il a été le premier à créer, dans les années 1960, un service de chirurgie réparatrice gratuit dans un hôpital public de Rio. « *Je traite de la même façon un roi et un misérable* », s'en enorgueillit-il.

Aujourd'hui, à 90 ans, il n'opère plus, mais continue à transmettre sa technique et à assurer la formation des nouvelles générations de chirurgiens plastiques. Détail, il n'a jamais fait appel pour lui-même à la chirurgie esthétique : « je suis en harmonie avec ma propre image » !

Mannequins stars

Le magazine américain *Forbes* vient de publier (août 2013) son classement des dix mannequins les mieux payées du monde sur l'année 2013. Les Brésiliennes Gisele Bündchen et Adriana Lima, avec l'Australienne Miranda Kerr, trustent les trois premières places. Pour la septième année d'affilée, la top-modèle brésilienne Gisele Bündchen arrive en tête des gains, avec 44 millions de dollars amassés sur les douze derniers mois

Gisele Bündchen n'est pas la plus belle femme du monde. Mais selon le magazine *The Independant* (mai 2009) elle n'est ni plus ni moins que la plus grande star dans l'histoire de la mode. Sa fortune personnelle était estimée en 2012 à 250 millions de dollars

Adriana Lima, magnifique brune aux yeux bleus de 35 ans (12/06/1981), est originaire de Salvador de Bahia, la mythique capitale métissée du Nordeste brésilien. Adriana Lima est d'ailleurs sans aucun doute une des plus belles métisses de la planète (on lui prête des origines portugaises, françaises, indiennes et mêmes japonaises ! Une vraie Brésilienne en somme !) et sans conteste une des mieux payées au monde (un peu plus de 9 millions de dollars en 2011/2012).

Alessandra Ambrosio est un mannequin brésilien d'origine portugaise, italienne et polonaise. Selon la magazine *Forbes*, cette superbe jeune femme de 35 ans (née le 11/04/1981) est le neuvième mannequin le mieux payé de la planète (elle gagne entre 5 et 6 millions d'euros par an).

Adriana Lima, top-model née à Salvador de Bahia.

UNE SOCIÉTÉ URBAINE

Une urbanisation accélérée et incontrôlée

En moins de trente ans, entre 1950 et 1980, le Brésil s'est transformé d'un pays majoritairement rural en un pays urbain. Aujourd'hui, 85 % de la population vit dans les 5 556 villes du pays. Quinze d'entre elles ont plus d'un million d'habitants ; **São Paulo** et **Rio de Janeiro,** les deux agglomérations majeures, sont des mégapoles. Cette explosion urbaine, due à un **boom démographique et à l'exode rural,** a provoqué **« un concentré d'inégalité »,** selon la formule du géographe Hervé Théry. Les villes ont grandi trop vite, sans aucune planification, ou presque.

Les périphéries et les terrains à risque, occupés souvent illégalement par les populations pauvres, **manquent cruellement d'infrastructures de base.** La spéculation immobilière «*qui bâtit et détruit des belles choses*», comme le chante Caetano Veloso, a constellé les quartiers centraux et historiques de tours et de gratte-ciel. Le pays s'est tourné vers l'avenir : **la modernité rivalise avec le patrimoine** et très peu d'immeubles historiques sont préservés. **Les familles riches s'exilent dans les quartiers résidentiels fortifiés et fermés, pour échapper à la violence urbaine, fruit de l'inégalité sociale.**

Scènes de la vie et paysages urbains à São Paulo, Curitiba (et ses fameuses stations d'autobus cylindriques) et Porto Alegre.

✈	D E P A R T U R E S		
Time	Flight	Destination	Gate
12:00	OD 1961	RIO DE JANEIRO	06
12:15	PN 0034	SAO PAULO	18
12:20	T3 0529	BRASILIA	32
12:30	PN 2415	BELO HORIZONTE	14
12:50	GI 1872	SALVADOR	09
12:55	T3 0944	PORTO ALEGRE	27
13:20	SF 2778	CAMPINAS	20
13:45	OD 0061	CURITIBA	31
13:50	BK 1532	RECIFE	04
14:05	OD 3487	FORTALEZA	12
14:30	PN 0194	VITORIA	03
14:35	SF 0028	SAO PAULO	08

São Paulo, la « forêt de pierres »

L'arrivée à São Paulo en avion est époustouflante : **une forêt de béton et de gratte-ciel à perte de vue** se dévoile au voyageur pendant des longues minutes. L'arrivée en voiture est tout aussi surprenante : on traverse plus de cent kilomètres de paysage urbain avant d'atteindre le centre ville. Le trajet mène du monde sous-développé des quartiers périphériques délabrés à l'arrogance des tours modernes qui composent l'imposante scène du quartier d'affaires.

La capitale économique du Brésil est l'une des plus grandes agglomérations du monde. La ville s'étend sur 1 500 km², mais la région métropolitaine est cinq fois plus vaste et compte vingt millions d'habitants. **São Paulo est la ville la plus riche d'Amérique du Sud** et son PIB équivaut à 10,7 % de la richesse du pays. Elle détient également le record mondial du nombre d'hélicoptères, lesquels effectuent 2 200 vols par jour. Les patrons échappent ainsi aux éternels embouteillages provoqués par sept millions de véhicules. Mais la **pollution** est assurée pour tout le monde !

Fondée en 1554 par des jésuites, São Paulo est **une ville cosmopolite qui a accueilli des immigrants de diverses nationalités :** italienne, portugaise, espagnole, japonaise, libanaise, etc. Quelques quartiers attestent encore de cette présence, comme celui de **Liberdade**. Connue par sa grisaille et son sérieux qui contrastent avec le côté lumineux et festif de Rio, São Paulo est néanmoins la capitale gastronomique et culturelle du Brésil. Elle possède **la meilleure université de l'Amérique du Sud,** l'USP, créée en 1934 avec l'aide d'une mission française.

Des manifestants renversent un autobus à Niteroí (banlieue de Rio de Janeiro), le 19 juin 2013.

Le retour des grandes manifestations

Dans le métro à Brasilia, dans la rue à Rio de Janeiro, la question du prix des transports publics cristallise la colère des Brésiliens.

C'est l'augmentation annoncée de 7 % du tarif des bus qui a déclenché **la plus grande vague de protestation des vingt dernières années.** Le mouvement a débuté en juin 2013 à São Paulo ; il a rapidement gagné les principales villes du pays. Les revendications se sont également amplifiées : les manifestants ont protesté **contre la corruption, la médiocrité des services publics de santé et d'éducation** et se sont élevés contre les dépenses exorbitantes (plus de 11 milliards de dollars !) engagées pour l'accueil de la **Coupe du monde de football 2014**.

En 2015, le mécontentement populaire s'est exprimé de façon plus pacifique, mais avec non moins de retentissement. Mobilisés par l'enquête judiciaire qui a révélé l'existence du scandale «Petrobras», plus d'un million de manifestants ont gagné les rues. À deux reprises, en mars et en août, **l'avenida Paulista de São Paulo et l'esplanade des Ministères à Brasilia sont pris d'assaut par les foules.** Bien que la présidente ne soit pas visée personnellement par enquête, cette vague de colère s'est principalement dirigée contre Dilma Rousseff, dont l'opposition n'a jamais véritablement accepté la réélection, révélant ainsi un pays profondément divisé.

Mais au-delà de l'exaspération qu'a suscitée ce scandale, cette vague de protestations indique aussi un malaise profond qui survient **au moment où coïncident deux crises majeures,** l'une politique et l'autre économique : si la première année du second mandat de la présidente marque le début de l'entrée du pays en récession, la chute des rentrées fiscales oblige le gouvernement à adopter des mesures qui se trouvent en contradiction frontale avec ses promesses électorales.

Les shopping-centers

● ● ● ● ● ● ● ● ● ● ● ● ● ● ● ● ● ● ●

De plus en plus, la vie sociale et culturelle des citadins se déroule dans les grandes surfaces commerciales, dont le nombre s'est multiplié ces dernières années. La force d'attraction de l'*American way of life* et l'insécurité urbaine garantissent le succès des *malls*, ces lieux fermés et sûrs que l'on appelle au Brésil tout simplement les «shoppings». Avec l'inauguration de 64 nouveaux malls en 2013 — un record! —, le pays en possède aujourd'hui presque 500 en fonctionnement. Et plus de cinquante sont en construction. Les «shoppings» sont à chaque fois plus grands et plus chics. En plus des magasins, ils offrent des (bons) restaurants, des espaces de convivialité, des salles de cinéma, certains hébergent des théâtres, des salles de concert ou des académies de danse et de gymnastique. Dans les plus luxueux, on peut même acquérir des voitures de sport ou des hélicoptères! Les «shoppings» sont fréquentés chaque jour par **onze millions de personnes**; à 93%, ces consommateurs appartiennent aux classes moyennes et aisées.

En marge des luxueux shopping-centers, la majorité des Brésiliens fréquente les grandes surfaces traditionnelles (ici l'enseigne Atacadão, filiale du groupe français Carrefour).

économie

En 1974, l'économiste Edmar Bacha avait créé le néologisme *Belindia* afin de souligner une caractéristique qui a dominé longtemps l'histoire économique du pays : une minorité de la population jouissait d'une qualité de vie qui rappelait celle que l'on retrouve en Belgique, tandis que la grande majorité des Brésiliens vivait dans une misère comparable à celle qui prévalait en Inde. Le terme illustrait de façon éloquente le modèle de développement inégal : la concentration des richesses perpétuait le fossé entre les élites et la population la plus pauvre et accentuait les inégalités héritées des époques coloniales et impériales.

Depuis les années 1990, le Brésil a connu une évolution notable. Le « plan réal » a maîtrisé l'inflation, les exportations des matières premières et la demande interne ont soutenu l'économie. La mise en place d'un ensemble de mesures administratives et légales a conduit à une redistribution plus équitable des richesses. Aujourd'hui, le Brésil semble rattrapé par ses vieux démons : inflation, corruption, récession. Si l'économie permet au pays de rester parmi les dix nations les plus riches du monde, beaucoup de capitaux étrangers ont été retirés des marchés et le futur s'annonce incertain La solidarité nationale, indispensable au progrès, nécessite plus que jamais un changement des paradigmes politiques : « il faut arrêter de penser à la Belíndia », suggère Bacha, « et recommencer à penser au Brésil ».

L'INDUSTRIALISATION À PAS FORCÉS

Le café à l'origine de l'essor de l'État de São Paulo

C'est à la culture du café que l'État de São Paulo doit sa richesse. Dès les années 1870, après l'épuisement des sols de la vallée du Paraíba (située dans le sud de Rio), les plantations de café franchissent la Serra do Mar et conquièrent les terres fertiles du plateau *paulista*. Au début du XXe siècle, **la construction de la *São Paulo Railway* ainsi que les conditions climatiques favorables font décupler la production :** alors qu'en 1881, São Paulo vend 1 200 000 sacs de café, l'État en exporte plus de 15 millions en 1906 !

Les réserves illimitées de *terra roxa* permettent au Brésil de faire face à la demande mondiale croissante – durant la deuxième moitié du XIXe siècle, le café cesse d'être une boisson de luxe pour devenir **un produit de consommation de masse.** Les grains brésiliens s'imposent rapidement aux bourses européennes et américaines ; non seulement la concentration de capital qui résulte des exportations accouche d'une **nouvelle aristocratie,** mais **l'accumulation des devises** facilite les investissements nécessaires à l'industrialisation du pays.

CAFÉ DO BRASIL

Planté et cultivé dans plusieurs régions, le café brésilien est principalement de type arabica.

São Paulo vers 1900, le parc Anhangabaú.

Des premières PME à Juscelino Kubitschek : « cinquante ans en cinq ans »

Francisco Matarazzo

L'industrialisation du Brésil coïncide avec la grande vague d'immigration de la fin du XIXᵉ siècle. À São Paulo, avant même le début du XXᵉ siècle, les quartiers italiens du Brás et de Bexiga abritent des fonderies, des conserveries et du matériel agricole. Les grandes familles de caféiculteurs, cherchant à diversifier leurs activités, créent des **filatures de coton et des fabriques de textile.** Parfois, les étrangers intègrent le patronat dès la première génération : **Francisco Matarazzo**, né en 1854 dans la province de Salerne, inaugure en 1900 le premier moulin au Brésil. Le succès de cet entrepreneur est fulgurant – dix ans plus tard, six pour cent de la population de São Paulo seront dépendants des salaires versés par son **empire industriel.**

C'est pendant la première présidence de **Getúlio Vargas**, sous l'autoritaire *Estado Novo* (1937-1945), que naissent **les premiers grands complexes industriels.** Vargas institue un ministère du Travail, crée des caisses de retraites et fixe à huit heures la durée légale du travail. Parallèlement, l'État fédéral assume un rôle central dans l'industrialisation en fondant la « Compagnie sidérurgique nationale » ou encore la « Compagnie hydroélectrique du São Francisco ».

Sous le président **Juscelino Kubitschek**, la construction de **Brasília, la nouvelle capitale,** s'inscrit dans un projet politique qui vise un développement accéléré. L'ambition de ces années dorées se résume dans le slogan « cinquante ans en cinq ans ». À la fin de la présidence de « JK », **15 000 km de routes** seront ouverts et les « coccinelles » sorties des usines VW marqueront le paysage urbain. La liste des objectifs affichés (*plano de metas*) s'étend du domaine de l'énergie jusqu'à l'éducation en passant par l'alimentation, mais les emprunts contractés au titre de la dette hypothéqueront durablement l'économie nationale.

Inauguration d'un pont de chemin de fer en 1888. La ligne de São Paulo Railway, achevée au prix de prouesses techniques, permit de développer l'exportation du café.

77

D'un miracle économique à l'autre

Contrairement au miracle économique vécu sous la dictature militaire (entre 1967 et 1973, la croissance industrielle croît de 13 %), l'essor de l'économie qui a accompagné la première décennie des années 2000 s'est inscrit dans **un contexte financier stable :** le pays disposait d'amples réserves monétaires et la balance commerciale était positive.

À la fin de cette décennie, l'industrie s'est développée et répondait pour plus d'un quart du PIB. **La Petrobras,** dans le secteur pétrolier, et **la Vale,** dans celui d'extraction de fer, se diversifiaient et faisaient partie des entreprises les plus valorisées au monde. **La compagnie Odebrecht,** spécialisée dans le BTP, s'était imposée en Angola et au Mozambique.

En 2008, le Brésil traversait la grave crise économique internationale sans grands à-coups, mais au moment où le monde retrouvait le chemin de la croissance, le pays, à l'instar d'autres économies émergentes, s'est trouvé à contre-courant de la tendance mondiale. **Les rêves de ce deuxième miracle,** qui a apporté une redistribution des richesses et une diminution de l'inégalité historiques au pays, se sont-ils définitivement éloignés ?

Petrobras est leader mondial pour le forage en eau profonde et ultra profonde. Le gisement offshore de Tupi (6 000 m) recèle entre 5 et 8 milliards de barils de pétrole.

Usine pétrochimique du groupe Odebrecht.

L'EMB 120, un appareil de 30 places volant à 600 km/h, est l'un des fleurons du constructeur Embraer.

Une industrie de pointe : l'Embraer

Le constructeur d'avions Embraer fut fondé en 1969 à l'initiative du gouvernement militaire suivant la volonté politique de **créer une industrie aéronautique qui puisse proposer une alternative nationale aux importations.** Le premier modèle (conçu par l'ingénieur français Max Holste) fut le *Bandeirante*, un avion à double turbopropulseur destiné à un usage civil et militaire. Malgré le succès commercial de cet appareil – ainsi que de ses successeurs, le *Xingu* et le *Brasília* – la société fut victime, à la fin des années 1980, de la crise financière. **Vingt ans après sa privatisation, l'entreprise est le troisième producteur de jets au monde.** Les actions de la Embraer sont négociées aux bourses de São Paulo et de New York, ses avions – essentiellement des modèles de moyenne portée – ont conquis les cieux des États-Unis, de Chine et Singapour.

Santos Dumont
(1873-1932)

Fils d'un cultivateur de café brésilien d'origine française, Alberto Santos Dumont est l'un des pionniers de l'aviation. Enfant, il se plonge dans la lecture de Jules Verne, bricole des cerfs-volants et se laisse fasciner par les motrices à vapeur de la plantation. En 1891, il émigre avec sa famille à Paris, où il se passionne pour les courses automobiles et, plus tard, pour les aérostats et montgolfières.

Dès 1898, il se fait construire des dirigeables équipés d'un moteur à réaction qui lui permettent de survoler les rues de Paris. En 1905, il se lance dans la conception de sa machine volante - *N° 14 bis* - à bord de laquelle il réussira le premier décollage et vol officiellement homologué en Europe : le 23 octobre 1906, devant mille spectateurs massés sur la pelouse du parc de Bagatelle, près de Paris, l'avion baptisé *Oiseau de Proie* parcourt soixante mètres en sept secondes.

Grâce à cet exploit, Santos Dumont est le premier pilote à empocher le prix de l'aviation : à l'époque, la distinction était promise à tout pilote volant 25 mètres ou plus... Une plaque, apposée sur la façade du 114, avenue des Champs-Élysées, rappelle la teneur de ses exploits.

Fort de 27 turbines, Belo Monte devrait être le deuxième plus grand barrage au Brésil après Itaipu. Sa construction a débuté en 2012.

LE CHOC ENTRE DÉVELOPPEMENT ET ENVIRONNEMENT

De la Transamazonienne au barrage du Belo Monte

L'une des grandes richesses du Brésil est son territoire, le cinquième plus vaste au monde, dont la moitié est recouverte par la plus grande forêt tropicale de la planète. **Le défi majeur du pays est de concilier la préservation de son patrimoine avec son développement économique.** Depuis un demi-siècle, au nom du progrès et de l'intégration du territoire, les gouvernements successifs ont intensifié les projets d'occupation et d'exploitation des régions isolées. L'ouverture de **la « transamazonienne »**, une route de plus de 4 000 km reliant le littoral au cœur de la forêt, est le plus emblématique des grands projets d'infrastructure de cette marche vers l'Ouest.

Pour augmenter la production énergétique nationale, plusieurs **barrages hydrauliques** ont été construits sur les fleuves du bassin amazonien. À chaque fois, les chantiers soulèvent un **débat sur la destruction de l'environnement.** Le dernier en date, celui de Belo Monte, va inonder 500 km² de la forêt et sera

De nombreuses manifestations ont tenté d'interrompre la progression du chantier de Belo Monte, sans succès jusqu'à présent.

le quatrième barrage au monde. Malgré une intense campagne nationale et internationale, le gouvernement n'a pas reculé, affirmant que l'énergie produite sera nécessaire pour soutenir le développement économique. Pour répondre à la croissance, l'Eletrobras projette en outre de construire 22 usines dans la région dans les dix années à venir.

Une autre activité qui menace l'environnement est **l'exploitation des richesses minières.** À Carajás (État du Pará) se situe, telle une plaie, la plus grande mine à ciel ouvert du monde. Le pays possède plus de 600 barrages miniers et la rupture d'un d'entre eux, à Mariana (État du Minas Gerais), à la fin 2015, a provoqué la **pire catastrophe écologique de l'histoire du Brésil.**

Les nouvelles frontières agricoles

Les images de la forêt qui s'arrête net pour laisser place à la terre brûlée donnent le vertige. Le changement du paysage naturel brésilien est provoqué principalement par **l'expansion des nouvelles frontières agricoles.** Avec la progression des fronts pionniers vers l'ouest, la superficie cultivée, additionnée de celle destinée à l'élevage, dépasse 35 % du territoire.

La **Mata Atlântica**, forêt tropicale qui recouvrait la façade atlantique du nord au sud, a été le premier écosystème menacé de disparition. Aujourd'hui, elle conserve à peine 8 % de sa taille originale. Le **Cerrado** intègre aussi la liste des écosystèmes en voie de disparition. Situé au centre du pays, il est le deuxième plus grand biome brésilien et peut périr d'ici 2030 si le rythme actuel de son déboisement – qui équivaut à 2,6 terrains de football par minute ! – se maintient.

Depuis les années 1990, la conquête de nouveaux espaces arables et d'élevage menace elle aussi la forêt amazonienne. **La grande réserve de CO_2, poumon de la planète, a déjà perdu environ 20 % de sa surface.** Mais les consciences commencent à évoluer. Après un pic de presque 29 000 km² en 1995, sa déforestation est tombée à 4 500 km² en 2012, son niveau historique le plus bas. Depuis, cependant, les brûlis sont repartis à la hausse : en 2014, 5 012 km² ont été déboisés. Certains militants pointent **le nouveau code forestier** comme responsable.

En haut : paysage du Cerrado. La région abrite encore une biodiversité animale et végétale exceptionnelle. En bas : quand la culture du soja gagne la partie contre la forêt tropicale.

La déforestation expose les sols aux rigueurs du climat : le lessivage par les pluies emporte l'humus et découvre la roche-mère. Faute de racines pour retenir le sol, les glissements de terrain sont fréquents.

Chico Mendes
(1944-1988)

Sa mort a fait de Francisco Mendes Alves Filho, dit Chico Mendes, l'étendard de la lutte contre la destruction de l'Amazonie. Mendes avait 44 ans quand il a été abattu en décembre 1988 devant sa maison à Xapuri, dans l'État de l'Acre, par des hommes de main des propriétaires terriens. *Seringueiro* et leader syndicaliste, il a récolté le latex des hévéas natifs d'Amazonie et s'est battu pour défendre le mode de vie de son peuple. Face aux tronçonneuses, il n'hésitait pas à protéger les arbres de son propre corps, une stratégie appelée *embate*.

Chico Mendes est parvenu à faire échouer certains grands projets d'agriculture intensive dans la région. Ayant accédé à la notoriété internationale, il a reçu de nombreux prix et a vu son rêve se concrétiser : la fondation des premières «réserves extractivistes» destinées aux *seringueiros* et autres travailleurs qui dépendent de la forêt. Depuis sa mort, le nombre des réserves a augmenté mais souvent, hélas, en attisant la violence des propriétaires terriens. Selon la Commission Pastorale de la Terre, 295 personnes qui, comme Chico Mendes, défendent l'exploitation durable des ressources et le droit à la terre, ont été menacées de mort en 2012 ; 36 ont été assassinées.

Les grandes figures du Brésil

Le nouveau code forestier

Le nouveau code forestier brésilien est en vigueur depuis mai 2012. **Son débat au Parlement a synthétisé les conflits sur l'exploitation et l'occupation des espaces vierges du pays.** C'est le puissant lobby du secteur agricole qui est parvenu à assouplir la législation, datée de 1965 et considérée comme l'une des plus rigoureuses au monde.

La réforme est critiquée par les écologistes. Elle amnistie les déboisements illégaux intervenus avant 2008 et réduit la taille des aires de conservation obligatoires dans chaque exploitation. Néanmoins, le nouveau code, supposé bénéficier principalement aux petits agriculteurs, est en même temps considéré comme **une législation plus facile à appliquer et permettant un meilleur contrôle et une préservation plus efficace.**

Cadastro Nacional
de Unidades de Conservação
a identidade das áreas de conservação da natureza

Réserves naturelles et réserves indiennes

● ● ● ● ● ● ● ● ● ● ● ● ● ● ● ●

C'est principalement depuis la Constitution de 1988 et la Conférence de l'ONU « Rio-92 » que le Brésil adopte **une nouvelle gestion de son territoire,** mieux respectueuse de la nature et **orientée vers le développement durable.** La délimitation des réserves visant à protéger la biodiversité de toutes les régions du pays, appelées **« unités de conservation »,** est devenue l'un des fils conducteurs de sa politique environnementale.

En 1985, seulement 1,49 % du territoire était protégé légalement. Aujourd'hui, il existe plus de **1 900 unités de conservation qui occupent environ 1,5 million de km²,** principalement dans l'Amazonie. À cela, il faut ajouter les 588 terres indiennes qui représentent 113 millions d'hectares (presque 13 % du pays) et dont la plus grande partie est, elle aussi, localisée dans la forêt amazonienne. Toutefois, la délimitation légale des réserves n'empêche pas les **déboisements illégaux** ainsi que les conflits entre peuples de la forêt, fermiers et orpailleurs clandestins.

Deux « unités de conservation » de la Mata Atlântica.
Ci-dessus : Iguaçu (185 000 hectares).
Ce haut lieu du tourisme bénéficie désormais d'une protection attentive, tant du côté brésilien que du côté argentin.
Ci-dessous : Ilha Grande (78 000 hectares), dernier bastion de forêt tropicale humide de l'État de Rio. L'urbanisme et le tourisme y sont sévèrement réglementés pour limiter l'impact de l'activité humaine sur cet écosystème rare.

PROGRAMA Bolsa Família

Photo promotionnelle pour le programme de bourse familiale. 14 millions de familles en ont bénéficié en 2015.

LA NOUVELLE CLASSE MOYENNE

BOLSA Família
Ministério do Desenvolvimento Social e Combate à Fome
BRASIL
UM PAÍS DE TODOS
GOVERNO FEDERAL

Le programme de redistribution des richesses

En moins de deux décennies, le profil économique et sociologique du Brésil a connu une évolution spectaculaire. Grâce à un programme ambitieux, le *Programa Bolsa Família* (PBF), **le gouvernement a pu redistribuer les fruits de la croissance et réduire l'extrême pauvreté** durant la première décennie du XXIe siècle. Le versement de cette bourse, dont le montant est plafonné à 336 réaux par mois (moins de 80 euros), est **réservé aux familles qui s'engagent à envoyer leurs enfants à l'école** et à les soumettre à des contrôles sanitaires. Elle est également allouée aux personnes vivant dans l'extrême pauvreté.

Salué à la fois par l'ONU et par la Banque Interaméricaine du Développement, le PBF s'avère un succès : entre 2002 et 2013, la proportion de Brésiliens vivant au-dessous du seuil de pauvreté est tombée de 8,8 % à 4 %, grâce aussi à la revalorisation du salaire minimum. **Le revenu des 10 % les plus pauvres du pays a augmenté de plus de 120 %,** tandis que les 10 % les plus riches ont vu leur fortune s'agrandir de 26 %. Depuis, avec l'aggravation de la crise, la réduction de la pauvreté s'est arrêtée, mais celle-ci n'a pas reculé. Le coefficient GINI, qui mesure l'inégalité des salaires, est resté stable au Brésil en 2014.

Néanmoins, avec une **inflation supérieure à 10 % en 2015,** beaucoup de familles parmi les plus pauvres risquent de repasser sous la « ligne de misère », fixée par la Banque mondiale à 57 dollars mensuels : jusqu'à 22 millions de personnes, selon les calculs du quotidien *Folha de São Paulo*. Cependant, jusqu'ici, **le programme de redistribution des richesses s'est révélé un excellent parachute** contre les effets de la récession chez les plus pauvres.

Un samedi après-midi au centre commercial.

Un nouveau consommateur

En septembre 2012, la présidence a pu affirmer que plus de la moitié de la population (58 %) faisait dorénavant partie des classes moyennes, 119 millions de personnes qui peuvent faire état de revenus mensuels oscillant entre 291 et 1 019 réaux. Ce segment de la société, auparavant à majorité blanche, devient également **très métissé** : environ 80 % des intégrants de la « classe C » sont noirs, selon le Secrétariat des Affaires stratégiques.

Cette évolution a eu aussi un grand impact en termes économiques : d'après une étude de l'Institut brésilien de Géographie et de Statistiques (IBGE), le nouveau pouvoir d'achat de cette population, qui correspondait à 38 % de la consommation globale, a soutenu la croissance et a participé, depuis, 2002, à la création d'environ 18 millions d'emplois. Dans **les États du Nord-Est,** où la pauvreté frappe surtout la population rurale, des dizaines de millions de Brésiliens ont pu acquérir des **équipements de base** comme frigidaires et machines à laver. Les jeunes issus de familles illettrées ont, pour la première fois, de réelles chances d'intégrer le marché du travail et de choisir leur horizon professionnel.

La récession brésilienne vient freiner les rêves de consommation de cette nouvelle classe moyenne, principalement dans les grandes villes. En 2015, la hausse du chômage et des taux d'intérêts, l'inflation et la réduction des crédits aux particuliers ont fait chuter pour la première fois depuis 2004 le pouvoir d'achat. Un scénario identique est prévu pour 2016, avant le début d'une amélioration en 2017, voire en 2018.

Point de vente des célèbres sandales flip-flop Havaianas. Chaque client peut personnaliser son modèle, qu'il obtient quelques minutes après sa commande.

L'émancipation des bonnes

L'architecture des immeubles bourgeois invite aussi à une lecture sociologique : « l'ascenseur de service » qui se trouve à côte de **« l'ascenseur social »** et la chambre de bonne, une pièce étriquée, habituellement située derrière la buanderie, caractérisent le rapport paradoxal, empreint à la fois de proximité et de distance, que les familles aisées entretiennent avec les bonnes. Mais si les employées de maison occupent toujours une place importante dans les ménages, **leur nombre tend toutefois à diminuer.** Entre 2008 et 2015, la proportion des *domésticas* dans la population brésilienne est passée de 8,4 % à 6,3 %, et ce malgré une hausse sensible de leur revenu durant cette période et la nouvelle législation qui leur garantit, pour la première fois, les mêmes droits qu'à n'importe quel travailleur. Toutefois, la récession a déjà commencé à ralentir cette évolution.

À Brasilia en 2012, manifestation dans les couloirs du Congrès national pour que soit ratifiée la convention 189 de l'OIT sur le « travail décent » des employés de maison.

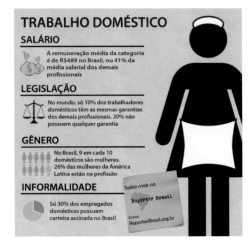

Affichette de sensibilisation sur les droits des travailleurs domestiques.

C'est surtout le développement des États du Nord et du Nord-Est, historiquement les principales régions pourvoyeuses de domestiques, qui a ralenti l'afflux des migrantes dans les capitales des régions méridionales. Et à la différence du XXe siècle, le marché du travail offre aujourd'hui des alternatives plus gratifiantes et moins « marquées » socialement que l'emploi à domicile.

Les économistes observent d'un bon œil le déclin de cette institution. Comme l'emploi à la maison ne génère pas de plus-value, **le pays s'enrichit si ces femmes se dédient à des activités plus productives.** Même les classes aisées semblent découvrir les avantages de cette révolution culturelle : avec le prix de l'immobilier qui flambe, les chambres de bonnes, une fois intégrées dans les appartements, offrent un gain d'espace considérable.

Beijos de Natal !

Beijos de Miami !

Beijos dos Alpes !

Les Brésiliens découvrent le Brésil… et le monde

Le bouleversement que la société a connu au cours des dernières années se vérifie encore dans l'espace public : aéroports engorgés au début des vacances et des longs week-ends, files interminables de voitures bloquant les sorties des grandes villes… Visiblement, **les voyages ne sont plus le privilège d'une élite.** « L'industrie du voyage doit repenser le marché » – pareille évidence, formulée par le ministre en charge du tourisme, reflète le poids que la « classe C » représente dorénavant pour les voyagistes.

C'est vers les **plages du Nord-Est,** ensoleillées toute l'année, que se tournent prioritairement ces nouveaux consommateurs – certains découvrent ainsi pour la première fois la mer. Mais de nombreux Brésiliens peuvent aussi envisager de voyager à l'étranger.

Grâce à des crédits, **beaucoup ont pu se rendre à Miami, voire en Europe.** Même la crise n'a pas interrompu ce désir d'aventure, mais le dollar cher a rendu plus attractives les destinations nationales. Le secteur du tourisme était en hausse d'environ 5 % en 2015, notamment grâce aux Brésiliens qui (re)découvraient le Brésil.

TAM Linhas Aéreas est la plus grande compagnie aérienne du Brésil, ainsi que de toute l'Amérique latine, en nombre de passagers transportés.

LES DISPARITÉS RÉGIONALES

Splendide écrin naturel, le parc national de la Chapada Diamantina (État du Bahia) a été créé en 1985. C'est l'un des hauts lieux de l'écotourisme au Brésil.

Le littoral contre l'arrière-pays

À la différence notable des Espagnols, qui se sont immédiatement mis à parcourir leurs possessions d'outre-mer, les Portugais se seraient contentés « de s'installer sur le littoral comme des crabes » : la réflexion, non dénuée d'ironie, figure dans l'*Histoire du Brésil* du moine franciscain Vicente do Salvador, un ouvrage considéré comme l'un des premiers classiques des lettres brésiliennes. Vicente ne fut toutefois pas le seul à faire la remarque : dès le XVIe siècle, le cartographe Luís Teixeira avait dénoncé une colonisation « commerciale et exportatrice » qui négligeait le marché interne et « isolait » la société locale. **Au-delà des particularismes de l'occupation portugaise, ce sont d'abord les dimensions continentales du pays qui expliquent pourquoi le développement de la colonie s'est longtemps limité aux régions côtières.** Ce n'est qu'au cours du XIXe siècle, dans le sillage des expéditions scientifiques, que le Brésil a initié une exploration systématique de sa *terra incognita* en vue de son intégration économique.

La décision de Juscelino Kubitschek de construire Brasilia sur le *planalto* central s'inscrit dans la même logique : en 1956, **il était crucial pour le pays que son centre de gravité se situe à l'intérieur des terres.** La nouvelle capitale a initié le développement de la région du Centre-Ouest ; plus tard, la fondation de villes nouvelles, telle Palmas, la capitale de l'État du Tocantins, ainsi que l'avancée de la frontière agricole, ont eu elles aussi une incidence sur le rééquilibrage économique entre les régions. **Les différences en termes de productivité et de revenus restent néanmoins abyssales** : si en 2014, la moyenne du PIB par habitant se situait à 27 000 R$ (environ 8 500 €), la population du Piauí ne touchait qu'environ un tiers de cette somme.

Bâtie de toutes pièces en 1990, Palmas (272 000 habitants) est la capitale du Tocantins.

Rio de Janeiro, la ville divisée

La plupart des villes de l'Amérique latine ont vu naître, au cours du XXᵉ siècle, des favelas, mais **aucune ne présente un tissu urbain plus métissé, plus contrasté que Rio de Janeiro.** Du fait de son histoire, mais aussi de sa topographie accidentée, ses bidonvilles se situent autant dans la *zona norte* – près des anciens lieux de production industrielle – qu'à proximité des quartiers résidentiels qui s'étirent le long des plages et autour du lac Rodrigo de Freitas. L'interaction et l'interdépendance qui s'est nouée entre les classes aisées et les *favelados* ont popularisé l'idée selon laquelle on peut analyser la structure socio-économique de Rio en fonction de la frontière qui sépare **« l'asphalte »** (selon la métonymie qui désigne les quartiers résidentiels) des **« collines »,** où se sont installés de nombreux bidonvilles.

La montée de la violence que la ville a connue dans les années 1980 n'a fait qu'exacerber le divorce entre les différents quartiers de la ville. À partir de 2008, à la suite de la pacification de certaines favelas stratégiques, les statistiques du crime ont enregistré une baisse notable des actes les plus violents. Mais le constat de l'auteur et journaliste Zuenir Ventura, dont l'ouvrage à succès *Cidade partida* a popularisé l'expression de la **« ville divisée »,** reste toujours valable : **la solution au problème des violences urbaines n'est pas uniquement policière, mais nécessite l'intégration de la masse invisible des exclus dans la société.**

Quatre vues de Rio de Janeiro.
De haut en bas :
Rodrigo de Freitas ;
télécabine du Complexo
do Alemão ;
quartier de Catete ;
escalier Selarón
(quartier de Santa Teresa).

La prospérité du *sudeste*

Avec 42 % de la population nationale, **le *sudeste* est aujourd'hui la région la plus densément peuplée de la Fédération, mais aussi responsable de plus de la moitié de la richesse du pays.** Ensemble, les États de São Paulo, de Rio de Janeiro, de Minas Gerais et du Espirito Santo génèrent 55,3 % du PIB national, soit 2 600 milliards de réaux en 2013, selon les chiffres de l'Institut Brésilien de Géographie et des Statistiques. **L'État de São Paulo, qui possède le plus grand parc industriel de l'Amérique latine, produit à lui seul plus de 32 % du PIB national.** Rio de Janeiro profite notamment des gisements pétrolifères et des industries pétrochimiques, tandis que les terres de Minas Gerais et de l'Espirito Santo renferment les principales réserves de fer et de minerais.

Le Sud-Est, qui dispose des meilleures **universités** du pays, peut aussi se targuer de posséder une infrastructure viable. **Le réseau routier** est dans un état satisfaisant et **l'accès à l'internet** a permis de développer le secteur des services. Depuis les années 2000, les programmes de stimulation économique ont certes bénéficié en premier lieu aux régions défavorisées (l'Amazonie a ainsi vu son PIB croître de 191 % en huit ans, contre 149 % dans le Sud-Est). La valeur du réal a également pesé sur la balance économique des régions industrialisées. Mais le Sud-Est devrait tout de même garder son pouvoir d'attraction, surtout à Rio et à São Paulo, où émergent de nouveaux marchés. **Le commerce de luxe** et le domaine de **la santé** enregistrent notamment des taux de croissance enviables.

Cueillette des baies de guarana, une plante très appréciée en phytothérapie. Elle est reconnue pour son effet stimulant, dû à la caféine. Elle améliore la concentration et la mémoire.

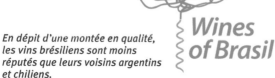

En dépit d'une montée en qualité, les vins brésiliens sont moins réputés que leurs voisins argentins et chiliens.

Les raisins du sertão

L'intérieur du *nordeste* est une région aride et inhospitalière, souvent frappée de longues périodes de sécheresse. La température grimpe régulièrement au-dessus des 40° C et le sertão, couvert d'une végétation éparse et épineuse, se transforme en une plaine poussiéreuse et monotone.

Aujourd'hui, il y a toutefois des terres où le vert domine : **grâce à l'agriculture irriguée, les plantations de la vallée du São Francisco s'étendent sur plus de 300 000 hectares.** Il y a près de quarante ans, Embrapa, une entreprise nationale dédiée à la recherche agricole, avait élaboré un programme destiné à améliorer le rendement des fermes locales et commencé à y implanter des arbres fruitiers. Le succès de ces exploitations a développé l'économie régionale et entraîné un inversement du flux migratoire : ainsi la ville de Petrolina, forte d'à peine 100 000 habitants en 1980, en compte aujourd'hui trois fois plus.

Le résultat le plus insolite de cette nouvelle agriculture est dans **le succès de la viticulture locale** : en 2012, lors d'un concours réalisé à l'occasion de la foire du vin de São Paulo, c'est le *Testardi*, un syrah cultivé dans l'État de la Bahia, qui avait conquis la première place du concours national, détrônant les vins du sud du pays qui dominent le marché depuis plus d'un siècle.

DE SOMPTUEUSES RESSOURCES NATURELLES

Le « patrimoine génétique » de la biodiversité

Imaginez 45 000 espèces de plantes, 1 800 types de papillons, 150 chauves-souris, 1 300 poissons d'eau douce, 163 amphibiens, 305 serpents, 1 000 oiseaux et 311 mammifères... tous partageant le même habitat ! **Cette biodiversité, la plus riche du monde, est celle de l'Amazonie.** La faune et la flore sont tout aussi abondantes dans d'autres macro-écosystèmes du pays – le Pantanal, le Cerrado, la Caatinga, la Mata Atlântica et la Pampa – et leur variété représente plus de **20 % du total d'espèces existantes sur terre.**

Jaguar (panthera onca), *Pantanal, Mato Grosso.*

La beauté et le parfum du nénuphar Vitória-Régia agrémentent les lacs d'Amazonie.

Le Brésil est le premier de dix-huit pays «mégadivers» de la planète, mais beaucoup de ses espèces endémiques sont encore peu connues, malgré leur grand potentiel économique. Ainsi, seules 90 plantes sont commercialisées par l'industrie pharmaceutique, alors que les Indiens de la forêt amazonienne connaissent et utilisent plus de 1 300 espèces aux vertus médicinales. Pareil patrimoine biologique suscite des convoitises de la part de plusieurs groupes internationaux prompts à les exploiter sans réelle préoccupation environnementale.

Le gouvernement essaie de perfectionner les normes d'utilisation de sa biodiversité. **L'objectif est d'inciter la recherche et les innovations technologiques pour développer de nouveaux médicaments, cosmétiques ou même OGM.** Comme prévu dans la Convention sur la diversité biologique, signée durant le sommet de la Terre à Rio en 1992, Brasilia veut systématiser la répartition des bénéfices de l'exploitation commerciale de ce patrimoine avec les régions et les populations locales.

La manne pétrolière

« Le pétrole doit être à nous », insiste cette affiche qui dénonce la privatisation des ressources.

« Dieu n'est pas seulement brésilien, il habite aussi chez nous » ! C'est ainsi, en renouvelant un dicton populaire, que l'ex-président Lula a accueilli en 2007 **la découverte des gigantesques gisements de pétrole au large des côtes brésiliennes.** Ces richesses localisées en eaux profondes, à 7 000 m sous la mer, vont potentiellement tripler dans les années à venir les réserves prouvées du pays, actuellement estimées à environ quinze milliards de barils. Le Brésil, espérait-on, allait intégrer alors le club des principaux pays producteurs de la planète, retrouver l'autosuffisance et pouvoir arrêter d'importer des carburants.

Mais tout cet enthousiasme est retombé avec l'effondrement des cours du pétrole, la hausse du dollar et, surtout, **le méga-scandale de corruption** qui secoue, depuis 2014, l'entreprise publique Petrobras, jadis le plus grand groupe industriel du pays. Avec la crise et les milliards de réaux détournés en malversations et en pots-de-vin, la Petrobras enregistre des pertes historiques et voit le prix de ses actions chuter vertigineusement. Le fleuron de l'économie brésilienne, placé par Forbes parmi les dix plus grandes entreprises du monde en 2010, a perdu plus de 400 places et occupait, en 2015, la 416e place du classement mondial. Au Brésil, elle est passée de la 1re à la 5e position.

Depuis, Petrobras a dû réduire son plan d'investissement, ainsi que son objectif de production jusqu'en 2019. L'impact de cette décision sur l'économie nationale serait responsable pour la perte de 2 % du PIB en 2015. L'exploitation des réserves nationales, y compris celles en eaux profondes, appelées *pré-sal* (présalifières), ont pourtant atteint la même année un record : 2 128 millions de barils en moyenne par jour. Cependant, l'exploitation des puits du *pré-sal*, trop onéreuse, pourrait devenir intenable si le prix de ce produit restait bas dans les années à venir.

Véritable trésor national, le pétrole bénéficie du soutien de toutes les institutions brésiliennes, comme en témoigne cette photo très médiatisée du président Lula.

Les mines de fer et autres minéraux

Le sous-sol brésilien regorge de ressources. La lente récupération de l'économie mondiale et le ralentissement des pays émergents, principalement de la Chine, diminue la demande internationale et provoque une oscillation de la production des minéraux ces dernières années. Mais le secteur est toujours un des piliers de l'économie brésilienne. Il a atteint 40 milliards de dollars en 2014, représentant 5 % du PIB national.

Le pays est le 1er exportateur mondial de **niobium et de tantalite**, le 2e de **minerai de fer, et** le 3e de **manganèse et de bauxite**. Il renferme **d'importantes réserves d'or, de nickel, de phosphates, de platine, d'étain, d'uranium et de terres rares.**

Mais le Brésil dépend de quelques minéraux stratégiques pour le développement de son économie, notamment dans le secteur agricole. **Il est le 4e plus grand consommateur d'engrais de la planète,** alors qu'il ne participe qu'à hauteur de 2 % à sa production mondiale. Résultat, il importe en moyenne 75 % des substances utilisées dans la fabrication d'engrais.

Néanmoins, le solde de la balance commerciale du secteur est positif (26,3 milliards de dollars en 2014). La tendance est que la production minérale brésilienne continue à croître entre 2 % et 5 % les années à venir. Toutefois, **le pays commence à prendre conscience que ses ressources ne sont pas infinies.**

Minerai de Tantalite

Cristaux de Niobium

Mine de bauxite de Minerção Rio do Norte (MRN). Avec 17 millions de tonnes annuelles, c'est la plus importante au Brésil.

La ferme du monde

Le climat, l'abondance d'eau et des terres agricoles ont aidé à transformer le Brésil en **l'un de plus grands producteurs d'aliments du monde.** Le pays est le n° 1 du commerce mondial de **café,** de **jus d'orange,** de **sucre** et le 2ᵉ de **soja.** Il est aussi parmi les premiers producteurs et exportateurs de maïs, de viande bovine et de volailles. En 2015, ses exportations ont généré presque 90 milliards de dollars, équivalent à environ 23 % du PIB.

Et l'avenir est prometteur : le pays possède la plus grande réserve de terres arables de la planète et **pourrait encore doubler sa surface cultivée.** L'entreprise publique Embrapa développe une technologie propre pour augmenter la productivité des 60 millions d'hectares déjà exploités. Entre 1960 et 2010, la production des céréales a été multipliée par neuf pour atteindre 150 millions de tonnes, tandis que la surface cultivée l'a été par deux. La production doit croître de 40 % dans les dix ans à venir. **Un tiers des produits agricoles vendus dans le monde sera alors brésilien !**

Un des secteurs importants de l'agrobusiness national est celui du **biocombustible.** Dans les années 1970, à l'époque du premier choc pétrolier, le Brésil a fait figure de pionnier pour la production et l'utilisation de l'éthanol à base de canne à sucre. Aujourd'hui, il possède une vraie expertise dans la production de biodiesel. L'éthanol est la deuxième source d'énergie du pays et contribue à ce que presque 50 % de la matrice énergétique brésilienne soit renouvelable.

Les États-Unis et le Brésil se disputent la place de premier producteur mondial, mais le Brésil en est le premier exportateur avec 1,86 milliard de litres en 2015.

Usine de production et de stockage d'éthanol.

UNE PUISSANCE ÉMERGENTE

Dans le top 10 de l'économie mondiale

La croissance économique soutenue, enregistrée dans la première décennie du troisième millénaire, (3,7 % par an en moyenne) promettait un futur radieux au Brésil. **L'élargissement du marché interne ainsi que l'intensification du commerce extérieur ont participé à l'essor de l'économie nationale.** Poussée par la forte demande internationale, l'augmentation de la production de minerai de fer (600 % entre 2002 et 2011), de pétrole (397 %) et des activités agricoles, telles la culture du soja, ont facilité l'insertion du Brésil dans le marché mondial. **Le Brésil devenait la sixième nation la plus riche du monde** et s'affirmait sur la scène internationale. « Nous sommes fatigués de jouer en deuxième division », disait à l'époque l'ex-président Lula.

Mais le pays n'a pas su vaincre tous les obstacles à une croissance durable. À partir de 2010, son économie commence à tourner au ralenti avant d'entrer en récession en 2015. Des fragilités nationales, amplifiées par les scandales de corruption et par une mauvaise conjoncture internationale, ont stoppé

Comme la plupart des constructeurs mondiaux, l'américain Ford exploite plusieurs unités de production au Brésil.

ses rêves de grandeur et plongé le pays dans une grave crise. **L'inflation est repartie à la hausse et la monnaie s'est dévalorisée.** Les taux d'intérêt qui restent exceptionnellement élevés freinent les investissements. Le secteur industriel, proportionnellement l'un de plus faibles au monde, recule fortement et représente environ 10 % du PIB en 2015. Le pays vit ainsi une situation paradoxale : il partage cette spécificité avec les nations post-industrielles, sans toutefois atteindre les niveaux de revenus élevés des nations développées.

Malgré la gravité de la crise, il semble que le Brésil ait définitivement réussi à intégrer le haut du classement et attire toujours des investissements étrangers. Le pays, qui doit retrouver le chemin de la croissance à partir de 2017, se maintient dans **le club des dix plus grandes économies du monde.**

Au cœur des BRICS

Le terme BRIC – formé par les initiales du Brésil, de la Russie, de l'Inde et de la Chine – apparaît pour la première fois en 2001 sous la plume de Jim O'Neill, un analyste de la banque d'investissement Goldman Sachs. En 2010, l'**Afrique du Sud** a été incluse dans le groupe et l'acronyme a gagné un S. Le rapprochement de ces pays cherchait à démontrer que leurs économies se trouvaient à un stade de développement et d'industrialisation comparable.

Rapidement, le terme est devenu le symbole des bouleversements qui ont atteint l'ordre économique mondial: face au potentiel de ces marchés émergents, les puissances économiques traditionnelles tendent à perdre leur position dominante.

Ainsi, dans une projection, **Goldman Sachs estime qu'en 2050 le revenu national brut des BRICS pourrait dépasser celui des pays du G7.** Le ralentissement de la Chine et la récession du Brésil et de la Russie invitent à relativiser cet optimisme.

Néanmoins, ces nations ont saisi leur importance croissante pour peser sur le plan diplomatique mondial. **Depuis 2009, les BRICS tiennent un sommet annuel.** Le groupe, qui revendique un rééquilibrage des institutions multilatérales donnant plus de poids aux pays émergents, a créé, en 2014, une banque de développement et un fonds de réserves comme une alternative à la Banque mondiale et au Fonds monétaire international (FMI).

La bourse des valeurs de São Paulo (Bovespa) est la première place financière d'Amérique latine.

PAC 2

...ilidade - Grand...
...tos e qualidade para o t...

Les freins à la croissance

Depuis 2007, **le «Plan d'accélération de la croissance» (PAC) vise à moderniser les infrastructures qui, vieillies ou inadaptées, représentent un frein à la croissance** du Brésil. Son premier volet, lancé au début du second mandat de Lula, était doté de 200 milliards d'euros sur quatre ans.

Le deuxième volet, ou PAC 2, présenté en 2010, prévoyait d'investir 500 milliards d'euros sur six ans. Il porte sur **six secteurs prioritaires, dont l'énergie**, avec l'exploitation des réserves de pétrole du *pré-sal* et la construction de barrages tel celui de Belo Monte, mais aussi **les transports, le logement, le système d'assainissement et de distribution des eaux.**

Le PAC, qui englobe aussi le programme *Minha Casa Minha Vida*, n'a pas encore tenu toutes ses promesses : avec la crise, il a été frappé de plein fouet par la **sévère réduction budgétaire annoncée par le gouvernement en 2015**. Plus de 31 milliards de réaux prévus en investissements se sont évaporés, plusieurs chantiers ont pris du retard et des dizaines de projets risquent d'être annulés. Et en 2016, d'autres coupes sont prévues... Le PAC a contribué à garantir une situation de quasi-plein emploi au pays. **L'austérité a un impact direct sur le taux de chômage qui est reparti à la hausse** et doit atteindre 10 % en 2016.

Site industriel Peugeot-Citroën à Porto Real. En octobre 2012, on y célèbre 1 million de véhicules produits par PSA au Brésil.

Un moteur de l'intégration en Amérique latine

En analysant les relations que le Brésil entretient avec ses partenaires commerciaux, on constate qu'elles se sont développées de façon déséquilibrée : si la Chine est devenue le premier client de ses matières premières (au détriment des États-Unis, notamment), l'Amérique latine privilégie surtout sa production industrielle. En 2015, les exportations vers la Bolivie, l'Argentine et le Paraguay sont ainsi constituées de 95 % de produits manufacturés ; pour le Venezuela et l'Uruguay, cette proportion s'est élevée à 60 % et 45 % respectivement.

Pour l'intégration économique de l'Amérique latine, le Marché commun du sud s'est avéré d'une importance capitale. **Le Mercosur** (ou Mercosul, selon le sigle brésilien), créé le 26 mars 1991, établit « la libre circulation des biens, services et des facteurs productifs entre les pays dans l'établissement d'un arsenal externe commun et l'adoption d'une politique commerciale commune ». Actuellement, cette communauté économique – réunissant, au titre de membres permanents, le Brésil, l'Argentine, le Venezuela, l'Uruguay et le Paraguay –, représente 80 % du PIB total de l'Amérique du Sud. Toutefois, **si l'union douanière a dynamisé le commerce sur le subcontinent, la demande régionale reste insuffisante pour soutenir l'économie brésilienne.**

Les grandes figures du Brésil

Roberto Azevêdo
(né en 1957)

Moins de quatre mois après avoir pris les rênes de l'Organisation mondiale du commerce (OMC), en septembre 2013, le Brésilien Roberto Azevêdo a réussi ce que son prédécesseur, le Français Pascal Lamy, n'a pas accompli en huit ans : le premier accord pour la libéralisation du commerce mondial des vingt dernières années. Cette entente historique entre les 159 pays de l'organisation est considérée comme une victoire personnelle du nouveau directeur général.

Roberto Azevêdo est né en 1957 à Salvador de Bahia. Diplomate de carrière, il était, depuis 2008, le représentant permanent du Brésil auprès de l'OMC avant d'être élu à la tête de l'organisation pour un mandat de quatre ans. Il est le premier Brésilien à occuper l'un des plus importants postes de la diplomatie internationale et c'est la première fois que l'OMC est dirigée par un pays émergent.

Réunion des chefs d'État du Mercosur en 2015. Dilma Rousseff en compagnie des représentants de l'Uruguay, l'Argentine, le Venezuela et la Colombie.

culture

La culture brésilienne reflète la société – elle est bigarrée, plurielle, traversée de tensions. Autant nourrie d'influences européennes que de rituels populaires, elle doit ses plus belles manifestations aux jeux de force entre la tradition et la modernité : si, dans un premier temps, les grands styles européens se sont imposés dans le sillage de la colonisation, la culture s'est rapidement appropriée cet héritage afin de mieux le détourner. La littérature, et plus tard la peinture et le cinéma, se sont construits sur le dialogue entre les réalités locales et le désir de leur conférer une signification universelle.

Au XXᵉ siècle, l'« anthropophagie culturelle » a été le maître-mot de la création brésilienne. Mythes indiens et religions africaines ont coloré les récits, les compositions et motifs picturaux. Depuis les années 1960, la production culturelle s'est enrichie des *telenovelas*, un genre qui est lui aussi pris dans un dialogue étroit avec la société. La popularité des grandes séries télévisuelles est indéniable, mais le succès foudroyant d'Internet, dont le Brésil est actuellement le premier consommateur au monde en temps de connexion, prouve que les pratiques culturelles restent en mouvement. Pour la diffusion des nouvelles tendances musicales, YouTube s'est définitivement imposé comme un vecteur incontournable.

Portugais et Brésiliens : deux peuples, une langue ?

250 millions de lusophones

Le portugais, langue officielle, est parlé du nord au sud du pays. **Le Brésil est, de loin, le plus grand pays de langue portugaise au monde** : ses habitants sont quatre fois plus nombreux que ceux des sept autres pays lusophones réunis. Mais il suffit d'entendre parler un Brésilien et un Portugais pour percevoir que **leurs accents ne sont pas les mêmes.** Contrairement aux Portugais, les Brésiliens prononcent toutes les voyelles, ce qui donne **une cadence plus lente, plus chantante à la langue.** Et les différences ne s'arrêtent pas à l'oral ; elles touchent aussi le lexique et la syntaxe et sont si importantes qu'au premier abord, Brésiliens et Portugais ont du mal à se comprendre !

Arrivée au XVIe siècle, la langue latine du colonisateur a été **transformée au fil des ans par les langues des natifs indigènes et des esclaves africains** pour devenir une variation de la langue portugaise européenne, métisse à l'image du pays.

Pays emblématique du football, le Brésil a créé à Brasilia, dans le cadre de la CPLP, une école internationale réservée aux pays lusophones.

La CPLP

CPLP

La Communauté des pays de langue portugaise (CPLP) est née en juillet 1996. Elle représente huit pays localisés sur quatre continents, et 250 millions de personnes qui ont la langue portugaise *« comme patrimoine commun et comme élément déterminant pour la formation de leur identité nationale »*. Malgré leurs grandes différences socio-économiques, le Portugal, l'ex-puissance coloniale, et ses anciennes colonies Brésil, Angola, Mozambique, Sao Tomé-et-Principe, Cap-Vert, Guinée-Bissau et Timor oriental se sont rassemblés dans cette institution multilatérale *« pour renforcer d'un côté leur coopération et de l'autre, leur présence et celle de la langue portugaise dans le monde »*.

Du Cap-Vert au Timor oriental, 250 millions de personnes parlent la langue portugaise.

L'accord orthographique

Devant les différences de langue au sein des huit pays lusophones, notamment entre Brésil et Portugal, **les gouvernements ont signé en 1990 l'Accord orthographique de langue portugaise.** Selon l'Observatoire de la Langue Portugaise le portugais est **la cinquième langue la plus parlée au monde.** Le but de l'accord est d'harmoniser son écriture pour qu'elle devienne, entre autres objectifs, une langue officielle de l'ONU. En dépit des résistances de part et d'autre de l'Atlantique, la réforme est déjà en vigueur au Brésil et au Portugal, ainsi que dans quatre autres pays de la CPLP. Néanmoins, l'Angola et le Mozambique ne l'ont pas encore ratifiée.

> L'existence des Nambikwara, peuple indigène du Mato Grosso, a été popularisée par les travaux de Claude Lévi-Strauss. Encore 20 000 au début du XXe siècle, ils sont, aujourd'hui à peine plus de 2 200.

Anthropologue et ethnologue français, Claude Lévi-Strauss (1908-2009) a étudié sur le terrain, entre 1935 et 1939, plusieurs peuples indigènes du Brésil.

La *língua geral* des explorateurs

Enecoema : c'est ainsi en **tupi-guarani** que, pendant presque trois siècles, la majorité des habitants du Brésil se saluait. Quand les Portugais sont arrivés au Brésil, ils étaient très minoritaires en nombre et ont dû créer un instrument de communication pour dominer et imposer la religion catholique. Les jésuites ont été les premiers à se servir de la langue tupi-guarani, **tronc linguistique commun aux Indiens** qui peuplaient la côte atlantique, pour évangéliser les autochtones.

Après quoi, cette « langue générale » s'est banalisée à tel point que deux tiers des habitants parlaient uniquement le tupi-guarani, préfigurant ainsi le développement d'une culture parallèle et d'un bilinguisme équivalent à celui qui existe aujourd'hui au Paraguay. Cette concurrence a alarmé les autorités portugaises qui ont interdit la « langue générale » en 1759. **Mais elle est pratiquée encore aujourd'hui dans le bassin amazonien ;** quelques députés brésiliens proposent même qu'elle soit enseignée au collège en LV2.

Famille d'Indiens Tuxuci, dans l'État du Pará. Leur mode de vie est menacé par la déforestation, l'exploitation intensive des mines et par les chantiers hydroélectriques.

Les langues invisibles

Il serait étonnant que le Brésil multiculturel ne soit aussi plurilingue. Malgré les efforts des autorités coloniales et impériales pour imposer le portugais comme langue unique, plusieurs minorités ont résisté et, contrairement à la vision dominante, des milliers de Brésiliens sont bilingues. **Aujourd'hui, plus de 210 langues coexistent dans le pays.** Au moins 180 sont des **langues indigènes**, aux sonorités originales telles le nheengatu (le tupi-guarani), le macro-jê, l'aruak ou le nambikwara, parlées principalement par des communautés établies dans des territoires indiens.

Plusieurs de ces langues sont en danger, soit parce qu'elles sont parlées par un nombre très faible de personnes, soit parce que les Indiens sont exposés à des pressions économiques et sociales qui les incitent à adopter le portugais. 45 sont même en voie d'extinction, ce qui place le Brésil dans le groupe des pays ayant le plus grand nombre de langues menacées. **Environ trente langues sont parlées par des communautés de descendants d'immigrés,** comme le talian (un dialecte vénitien), le japonais, le hunsrückisch (dialecte allemand), l'arabe et, bien

Les grandes figures du Brésil

Père José de Anchieta
(1534–1597)

Ce jésuite, né aux Canaries, est arrivé au Brésil en 1553. Il est considéré par certains comme le patriarche de la littérature brésilienne. Il a été le premier à proposer une grammaire du tupi-guarani. Mais José de Anchieta est aussi l'auteur du premier livre « brésilien », un poème épique narrant les exploits militaires du gouverneur général Mem de Sá, imprimé à Lisbonne en 1563.

Il signe encore d'autres poèmes, ainsi que des pièces de théâtre et des récits, en mélangeant parfois jusqu'à quatre langues : portugais, espagnol, latin et tupi-guarani.

Celui que l'on surnomme « l'Apôtre du Brésil » fut l'un des fondateurs de la ville de São Paulo. José de Anchieta a été béatifié en 1980.

sûr, quelques langues afro-brésiliennes qui ont survécu à l'esclavage. La commission installée en 2012 par le gouvernement pour faire l'« Inventaire national de la diversité linguistique » y inclut aussi le libras, le langage des signes.

Composée de matériaux biodégradables, la maloca est soutenue par de grands piliers. Sa porte unique est orientée vers le côté du lever du soleil.

LES CONSTRUCTEURS DE CATHÉDRALES

L'*oca* des Indiens

L'oca (ou *maloca*) est la hutte traditionnelle des Indiens brésiliens. Elle mesure jusqu'à 30 m de longueur et sert d'**habitation collective à plusieurs familles :** selon sa taille, une cabane peut abriter entre cinquante et cent personnes – souvent accompagnées d'une kyrielle d'oiseaux et d'animaux domestiques… Dépourvu de cloisons et de fenêtres, l'intérieur des huttes est strié de hamacs et le centre est occupé par un point de feu. Habituellement, les *ocas* sont situées à proximité d'un fleuve ou d'un point d'eau, entourées de champs de manioc, de maïs et de tabac.

La construction d'une *oca* mobilise une cinquantaine de personnes et dure environ une semaine. **Bâties en bois, couvertes de feuilles de palmier,** les *ocas* tendent à s'abîmer au bout de quinze ans – une durée qui correspond à la fertilité du sol cultivé. Lorsque la structure de la cabane se dégrade, les familles migrent pour s'installer ailleurs, en amont ou en aval du cours d'eau.

La mobilité des tribus et la nécessité de défricher de nouveaux territoires ont souvent conduit à des **conflits entre nations voisines.** Depuis que les Indiens sont en contact avec le monde occidental, **ce mode d'habitation collective est toutefois en recul.** Selon un recensement effectué en 2010, 63 % des domiciles indiens sont habités par une famille composée d'un couple et de ses enfants ; seules 12 % des habitations indiennes sont de type *oca* ou *maloca*.

Maison dans un village marubo, l'un des peuples du rio Javari, à la frontière entre le Brésil et le Pérou.

Le baroque de Minas Gerais

Le baroque de Minas Gerais n'est pas seulement l'aboutissement d'un style, mais aussi le reflet d'une expression propre. À la fin du XVIIᵉ siècle, avant la découverte de l'or, **les premières chapelles érigées sont démunies de toute ornementation.** L'abondance des moyens, la concurrence entre les différentes confréries religieuses ainsi que la particularité des matières premières (la roche est plus friable que celle utilisée en Europe) ont cependant permis aux architectes d'affiner leur « écriture ».

Dès les années 1750 – alors que l'Europe se tourne déjà vers le rococo – le tracé des églises s'arrondit, les tours, placées en retrait du frontispice, attirent l'attention sur les lignes dynamiques de la façade. À Ouro Preto, la paroisse Nossa Senhora do Pilar porte le baroque de Minas à un paroxysme : la nef décagonale dessine une ellipse, tandis que les colonnes, légèrement inclinées vers le haut, soulignent ce mouvement fuyant en dilatant littéralement la surface du plafond.

Oubliés durant l'Empire, les joyaux baroques de la ville (plus de vingt églises ornent le paysage d'Ouro Preto) seront toutefois redécouverts durant les années 1920 par les intellectuels brésiliens. Grâce à l'œuvre protéiforme de **l'architecte et sculpteur Aleijadinho,** le baroque de la région ne devient pas seulement la référence d'un passé luso-brésilien, **il nourrit aussi la réflexion sur la spécificité de l'identité brésilienne.**

L'Aleijadinho
(1738-1814)

Antônio Francisco Lisboa ou l'*Aleijadinho* (le petit estropié) est né à Vila Rica de Ouro Preto, ancienne capitale de l'actuel État de Minas Gerais. Fils d'un architecte portugais et d'une esclave, il doit son surnom à la maladie dégénérative qui l'a progressivement privé de l'usage de ses mains. L'Aleijadinho est considéré comme le génie majeur de l'art baroque au Brésil. Surmontant les limites que lui impose son corps, son style éloquent a profondément marqué l'architecture religieuse de sa région : on lui doit notamment le tracé et le fronton de l'église São Francisco de Ouro Preto, ainsi que le portail de l'église carmélite. Les sculptures magistrales des douze prophètes et la représentation heurtée du Chemin de croix du Christ à Congonhas do Campo forment son *opus magnum*.

Pour l'écrivain mexicain Carlos Fuentes, l'Aleijadinho fut « le plus grand poète de l'Amérique coloniale ». Ruiné, il mourut dans sa ville natale en 1814, à l'âge de 76 ans.

Le sanctuaire du Bon Jésus à Congonhas (Minas Gerais), chef-d'œuvre original et expressif de l'Aleijadinho.

Au bord du lac de Pampulha (Belo Horizonte), l'église Saint-François d'Assise marque, avec ses courbes, une nette rupture avec l'école internationale de Le Corbusier.

Le béton des villes

C'est le béton armé qui a fourni au Brésil les moyens de concevoir des édifices à sa démesure. Les plus emblématiques de la modernité portent la marque d'Oscar Niemeyer. En dessinant l'ensemble architectural du lac de la Pampulha à Belo Horizonte (1940), **Niemeyer rompt pour la première fois avec « les formes froides et angles droits » qui dominent l'apparence des villes.**

Avant la construction de Brasilia, qui donnera au béton ses lettres de noblesse, l'organisation de la Coupe du monde de 1950 permet à Rio de concevoir **le stade du Maracanã,** devenu le deuxième monument le plus visité de la ville. D'autres bâtiments marqueront le paysage urbain, à l'instar du sinueux **Copan,** un immeuble de plus de mille résidents à São Paulo.

Pour l'écrivain Ferreira Gullar, cette architecture a appris au Brésil que « la beauté était légère ». La leçon a sans doute été retenue par les représentants du style brutaliste : tout en mettant l'accent sur l'aspect rugueux du béton, **Lina Bo Bardi**, qui a signé le Musée d'art de São Paulo, et **Paulo Mendes da Rocha,** architecte du *Club Athletico Paulistano,* ont créé des volumes qui semblent défier les lois statiques.

Le musée d'art de São Paulo (MASP), édifié en 1968 sur les plans de Lina Bo Bardi.

Le palais des arts à Vitoria (État de l'Espírito Santo), projet de l'architecte Paulo Mendes da Rocha (2008).

La Cathédrale Métropolitaine conçue par Niemeyer peut accueillir 2 000 fidèles.

Le Palácio da Alvorada (Palais de l'Aurore) est la résidence officielle des présidents du Brésil.

Oscar Niemeyer
(1907-2012)

Oscar Niemeyer occupe une place majeure dans l'architecture du XXe siècle. En 1947, il participe avec Le Corbusier à la construction du siège des Nations unies à New York ; en 1956, il est chargé par le président Kubitschek de concevoir les principaux bâtiments de Brasilia, la nouvelle capitale : le parlement brésilien se compose de deux coupoles concaves et convexes, tandis que les lignes souples et ondulantes des colonnades du *Palácio da Alvorada* (la résidence des présidents) offrent à ce bâtiment un aspect aérien.

Après le coup d'État militaire, son engagement communiste lui vaut d'être exilé : accueilli dans un premier temps en France, Niemeyer conçoit le siège du parti communiste français, avant de construire, à Milan, l'immeuble des éditions Mondadori. Après le rétablissement de la démocratie, il revient à Rio ; en 1988, il devient le premier lauréat brésilien du prix Pritzker, le « Nobel de l'architecture ». À l'occasion du centenaire de Niemeyer, sir Norman Foster dit toute l'admiration qu'il porte au constructeur de Brasilia : « *Peu d'architectes de l'histoire récente ont été capables de convoquer un tel vocabulaire vibrant et de le structurer en un langage aussi communicatif et séducteur* ». Niemeyer, lui, aimait rappeler que c'était aux « courbes des femmes et aux collines de Rio » qu'il devait son inspiration !

À Rio de Janeiro, le MAC (Musée d'art contemporain) dessiné par Niemeyer a ouvert ses portes en 1996. L'ensemble est en béton brut peint en blanc pur.

Rubens Marques da Silva, roi Momo du carnaval de Curitiba en 2015.

LE PAYS DU CARNAVAL

L'inversion des rôles

Nulle part le carnaval n'est vécu avec autant d'enthousiasme qu'au Brésil. Pendant six jours, du vendredi précédant le Mardi gras au mercredi des Cendres, **le pays s'arrête et cède la place au court règne de Momo, le roi de l'inversion et de l'excès.** Du plus petit village aux grandes métropoles, c'est la fête. On se déguise, les hommes deviennent des femmes, les pauvres des riches... On change le jour pour la nuit, la maison pour la rue... Et on danse et on chante dans les nombreux bals, défilés ou fanfares.

L'originalité de la plus populaire des pratiques culturelles du pays est le **résultat de l'alliance entre les chants et les danses des esclaves africains et les fêtes catholiques européennes** qui précédaient le carême. Sa version moderne, avec les fameux défilés, apparaît au début du XXe siècle à Rio de Janeiro. **Les premières écoles de samba sont fondées à la fin des années 1920** et le premier concours est créé en 1932. Aujourd'hui, **le carnaval de Rio est le plus connu de la planète,** mais São Paulo, Manaus, Porto Alegre ou Vitória ont aussi leurs défilés qui attirent des milliers de fêtards et de touristes.

Dans d'autres villes, la fête garde des traditions régionales. Le carnaval de rue de Salvador de Bahia est rythmé par l'*axé*, ceux de Recife et Olinda par le *maracatu* et le *frevo*, des musiques typiques du Nord-Est.

Les carnavals de Recife et d'Olinda sont réputés pour leur ambiance ludique et populaire, sans les excès ou la violence qui viennent souvent gâcher la fête à Rio de Janeiro.

Un spectacle complet

Personne, du moins au Brésil, ne conteste les paroles de la chanson *É Hoje*, de Caetano Veloso, qui désignent le défilé des écoles de samba de Rio comme **« le plus grand spectacle de la terre ».** Entre le vendredi et le mardi, après que le maire a remis les clefs de la ville au Roi Momo, 45 écoles défilent au *Sambódromo* construit en 1984 selon les plans d'Oscar Niemeyer.

Le cortège le plus attendu est celui du «groupe spécial», composé par les douze plus prestigieuses écoles de samba de la ville. Ce défilé a lieu les dimanches et lundis, de 21 h jusqu'à l'aube. Environ 35 000 personnes accompagnent sur les gradins le spectacle féerique qui est aussi diffusé en direct à la télévision. **Tous les ans, chaque école met en scène un thème différent,** l'*enredo*, qui prend corps dans de somptueux costumes et chars allégoriques. **Chaque école compte entre 2 500 et 4 000 membres,** la plupart issus des favelas ou des quartiers populaires où elles sont basées. Mais des célébrités et des touristes peuvent aussi y participer – on leur demande seulement de payer leurs costumes. L'école évolue dans l'avenue, menée par la *bateria* (le groupe de percussions) et le *puxador*, un chanteur qui interprète le *samba-enredo* de l'année.

On estime entre 2,2 à 4,5 millions de dollars le coût de chaque défilé, mais les écoles sont aussi financées par « l'argent sale », provenant principalement du *jogo do bicho* (un jeu de hasard illégal) et leur budget n'est pas tout à fait transparent. **Le carnaval est l'un des temps forts de l'économie de Rio.** En 2015, il a généré 700 millions de dollars et attiré **un million de touristes,** étrangers pour la plupart.

Sur le parcours se trouvent des juges qui notent différents critères du défilé : l'adéquation avec le thème choisi, le rythme et l'harmonie, la qualité des chants et, bien sûr, la beauté des chars et des costumes.

Evelyn Bastos, reine de la batterie de Mangueira en 2012.

La course à la Reine

Le carnaval de Rio ne serait pas le même sans les belles *mulatas*, les métisses au corps splendide, vêtues de plumes et de paillettes. **La place la plus convoitée est celle de la *Rainha da bateria*** (Reine de la batterie), danseuse qui défile devant le groupe des percussions. Historiquement, cette place est occupée par des actrices et des top models qui paient cher pour ce règne d'à peine une heure et demie, mais combien médiatisé ! **Un costume peut coûter jusqu'à 80 000 dollars.** Mais depuis quelque temps, une nouvelle tendance se dessine : les écoles préfèrent choisir des filles de leur propre communauté. La dernière à avoir fait ce choix est la *Estação Primeira da Mangueira*, la plus ancienne école de samba de Rio, fondée en 1928. À la place de la *people* Gracyanne Barbosa, « l'école verte et rose » (ses couleurs de prédilection) a choisi la jeune **Evelyn Bastos,** une fille qui, comme le dit une célèbre chanson, « est née avec la samba et dans la samba a grandi ».

En 2012, cette *mulata* de 1,65 m et 65 kg a été élue Reine du carnaval 2013, l'un des titres les plus prestigieux de la fête carioca. « *Être la reine de mon école était mon rêve depuis l'enfance* », garantit-elle.

Aux rythmes de la samba

La samba est la musique emblématique de la nation brésilienne. Ce genre hybride, urbain et populaire est né au début du XXe siècle dans les quartiers des anciens esclaves de Rio de Janeiro, alors capitale du pays. La samba a été stigmatisée par les élites avant d'être assimilée par les groupes dominants pour devenir **le son de tout un peuple et l'âme du carnaval.**

Ses ancêtres sont les *batuques* et le chant dansé collectif des *rodas de samba*, inspiré du candomblé et **aujourd'hui patrimoine culturel immatériel du Brésil et de l'humanité.** En dialecte africain, *semba* signifie «coup de nombril». La samba a absorbé d'autres styles, comme le *lundu* et le *maxixe*. Son acte de naissance officiel est l'enregistrement en 1917 de *Pelo Telefone*, qui eut un énorme succès. **Le genre a ensuite influencé toute la musique brésilienne avant d'engendrer de nouveaux styles** comme la samba-canção, la bossa nova ou le *pagode*.

Le carnaval de Bahia en 2010, au rythme de la samba jouée par les cuivres et les caisses claires.

...et le mercredi des Cendres, tout recommence !

La samba *A Felicidade* de Vinícius de Moraes et Tom Jobim décrit parfaitement **le caractère cyclique et symbolique du carnaval :** « On travaille toute l'année/ Pour un moment de rêve/ Pour faire un costume (...) Et pour que tout se termine le mercredi. » **On dit au Brésil que l'année ne commence vraiment qu'au terme du carnaval.** Le pays a encore la « gueule de bois » au moment de la publication du résultat du concours des écoles de samba, le mercredi des Cendres. Ce jour-là, la formation championne de l'année fait la fête. Et si, le samedi suivant, les six premières classées défilent à nouveau au Sambodrome, tout le monde commence déjà à penser au carnaval suivant, le temps presse !

Les écoles ont jusqu'au mois de juillet pour communiquer le thème de leur prochain défilé, et jusqu'à octobre pour révéler leur *samba-enredo*. Avant chaque date butoir, des concours internes donnent lieu à des fêtes, tant au siège de l'école qu'à la *Cidade do Samba*, un grand espace inauguré en 2005 au centre de Rio, destiné à la répétition du défilé et à la construction des grands chars allégoriques. **Environ trois mille personnes travaillent directement toute l'année pour préparer le carnaval.**

Nouvelles, contes, poésies populaires... proposés sous forme de petits fascicules (folhetos), généralement des feuilles format A4 pliées en quatre.

LA LITTÉRATURE DES MARCHÉS ET DES LIBRAIRIES

La littérature de *cordel*

Dans les foires du nord-est du Brésil, mais aussi dans les boutiques de souvenirs, on peut découvrir **des petits livrets de poèmes illustrés de xylogravures très créatives** et dont les titres attirent l'attention : *La venue de la Bête de l'Apocalypse*, *La Fille transformée en serpent*, *Vie et mort de Lampião* ou *La grande passion de Charlemagne pour la princesse à l'anneau enchanté*.

Ce méli-mélo de thèmes, ces histoires merveilleuses, fantastiques, historiques ou réalistes, jalonnent la littérature de colportage brésilienne. Les textes, issus de la tradition orale et de la chanson de geste médiévale européenne, sont récités et chantés avant d'être imprimés. **Ces livrets étaient jadis exposés à la vente épinglés sur des ficelles – et pour cela nommés littérature de *cordel*.** Ils sont l'expression littéraire traditionnelle et populaire de la région du *Nordeste*.

Roman de Graciliano Ramos, publié en 1938. Une famille de paysans pauvres du Nordeste y fuit la sécheresse et la famine.

Jorge Amado
(1912-2001)

Trois des romans de Jorge Amado, et la ville de Salvador de Bahia, source majeure de son inspiration.

Une écriture ancrée dans les régions

Le régionalisme est l'un des courants marquants de la littérature brésilienne. Il met en lumière les paysages, la culture et les habitants des diverses régions du pays. **Le Brésil est aussi un «archipel culturel», chaque région étant marquée par l'histoire singulière des cycles économiques qui se sont succédé.** Ces récits régionalistes se voient parfois catalogués comme exotiques, ou pittoresques, parce qu'ils décrivent un monde éloigné des centres du pouvoir et de la culture dominante établis à Rio de Janeiro et São Paulo. **Mais ces histoires dénoncent aussi les inégalités et la marginalisation des cultures régionales.** Le «roman nordestin» est celui qui a eu le plus d'impact sur la critique et le public, Graciliano Ramos (1892-1953) étant son plus grand représentant, et **Jorge Amado** le plus populaire.

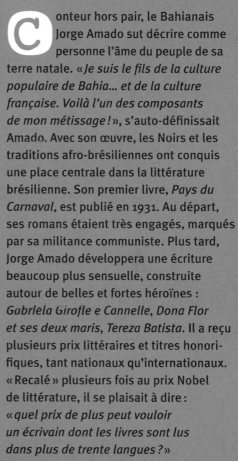

Conteur hors pair, le Bahianais Jorge Amado sut décrire comme personne l'âme du peuple de sa terre natale. «*Je suis le fils de la culture populaire de Bahia... et de la culture française. Voilà l'un des composants de mon métissage !*», s'auto-définissait Amado. Avec son œuvre, les Noirs et les traditions afro-brésiliennes ont conquis une place centrale dans la littérature brésilienne. Son premier livre, *Pays du Carnaval*, est publié en 1931. Au départ, ses romans étaient très engagés, marqués par sa militance communiste. Plus tard, Jorge Amado développera une écriture beaucoup plus sensuelle, construite autour de belles et fortes héroïnes : *Gabriela Girofle e Cannelle*, *Dona Flor et ses deux maris*, *Tereza Batista*. Il a reçu plusieurs prix littéraires et titres honorifiques, tant nationaux qu'internationaux. «Recalé» plusieurs fois au prix Nobel de littérature, il se plaisait à dire : «*quel prix de plus peut vouloir un écrivain dont les livres sont lus dans plus de trente langues ?*»

En vérité, l'œuvre de Jorge Amado a été traduite en 49 langues et le Bahianais reste, plus de dix ans après sa mort, l'un des écrivains les plus populaires du Brésil et le mieux connu à l'étranger.

La littérature aujourd'hui

Aucun auteur brésilien n'a encore reçu le prix Nobel, mais **plusieurs jouissent d'une renommée internationale.** Une enquête récente auprès de spécialistes et traducteurs de la littérature brésilienne à l'étranger confirme le nom de trois auteurs fréquemment cités comme les meilleurs du pays.

• **Joaquim Maria Machado de Assis** (1839-1908) est jusqu'à présent considéré par la plupart des spécialistes comme **le plus grand écrivain brésilien.** Il était métis et malgré ses origines modestes, a été un des rares auteurs du XIXe siècle à bénéficier d'une reconnaissance publique. Il a laissé une œuvre originale, qui a souvent Rio de Janeiro pour théâtre et reste d'actualité par sa profonde dimension universelle.

• L'œuvre de **João Guimarães Rosa** (1908-1967) décrit les vastes terres de l'intérieur de Minas Gerais, le mythique Sertão et ses habitants. Il a utilisé ce motif traditionnel pour inventer **une écriture originale qui scrute les inquiétudes de l'être** et influence jusqu'à aujourd'hui les nouvelles générations d'écrivains brésiliens, mais aussi des pays lusophones d'Afrique.

• L'élaboration d'un langage original est aussi au centre de l'œuvre de **Clarice Lispector** (1920-1977), d'origine ukrainienne et la seule femme de notre liste. La subjectivité traverse tous ses contes, nouvelles et romans.

• À ce trio, il faut ajouter les noms d'au moins deux poètes : **Carlos Drummond de Andrade** (1902-1987) et **João Cabral de Melo Neto** (1920-1999).

Statue de Carlos Drummond de Andrade sur la plage de Copacabana.

"No mar estava escrita uma cidade"

Auteurs incontournables

Paulo Coelho, dont *L'Alchimiste* a été traduit dans une soixantaine de langues, est actuellement l'auteur brésilien le plus lu à l'étranger, mais il n'est pas le seul à connaître le succès. La Foire du livre de Francfort de 2013 et le salon du livre de Paris 2015, dédiés au Brésil, ont témoigné de la vitalité et de la qualité de la production littéraire du pays.

La fiction brésilienne contemporaine est, à l'image du pays, urbaine et variée. La thématique de la violence y est très présente : le vétéran Rubem Fonseca et Marçal Aquino, notamment, l'abordent frontalement ; Luiz Ruffato dénonce les inégalités et l'exclusion des pauvres des périphéries urbaines, Dalton Trevisan explore les conséquences de la rupture du lien social.

Des narrations subjectives, renvoyant à une identité en crise, apparaissent chez Cristovão Tezza, Bernardo Carvalho ou l'écrivain et musicien Chico Buarque de Holanda. Milton Hatoum, quant à lui, révèle l'histoire récente du pays à travers des chroniques familiales situées à Manaus, sur les rives de l'Amazone. Des jeunes écrivains, dont plusieurs femmes, sont prêts à prendre la relève : Daniel Galera, Adriana Lisboa, Tatiana Salem Levy... Avec les récents bouleversements sociaux, la littérature marginale a bousculé les repères en donnant à voir les favelas, ces espaces urbains auparavant invisibles.

Paulo Coelho et L'Alchimiste, *best-seller mondial écrit en 1988 et vendu à ce jour à plus de 65 millions d'exemplaires.*

Tatiana Salem Levy, Luiz Ruffato (en haut) et Chico Buarque de Holanda.

LA MUSIQUE POPULAIRE BRÉSILIENNE

Tom Jobim (au piano) et Vinicius de Moraes, peu après leur rencontre en 1956.

La bossa nova

La bossa nova est sans doute le rythme brésilien le mieux connu à l'étranger. Née à la fin des années 1950, elle a révolutionné la musique populaire. Son invention est le fruit de la rencontre entre un compositeur génial, **Antonio Carlos Jobim** (1927-1994), un poète inspiré, **Vinicius de Moraes** (1913-1980), et un guitariste et interprète doué, **João Gilberto** (né en 1931). Le nom de leur première collaboration *Chega de Saudade* (Assez de nostalgie), enregistré en 1958, annonce leurs intentions de modernité.

Cette musique ensoleillée, chantée comme on susurre, a conquis la jeunesse dorée qui croyait dans l'avenir promis par le gouvernement JK. *Garota de Ipanema*, enregistré en 1962, est l'apogée de son succès.

Le Coup d'État de 1964 a assombri l'avenir du pays et changé l'orientation esthétique des musiciens brésiliens. Mais **la bossa nova influence jusqu'à présent la production nationale et le jazz américain.** Quant à son co-fondateur, João Gilberto, il revendique aujourd'hui son statut de « sambiste » et a même modifié les paroles d'une de ses chansons phares *Desafinado* pour ne plus chanter : « *C'est très bossa nova et c'est très naturel* ».

Gilberto Gil en concert en 2011. De 2003 à 2008, il est ministre de la Culture dans le gouvernement Lula da Silva.

La M.P.B.

L'acronyme M.P.B (musique populaire brésilienne) s'est fait connaître à partir des années 1960 avec les festivals organisés par des chaînes de télévision. Ces événements sont devenus l'espace privilégié de la rénovation esthétique et de la résistance à la dictature militaire alors en vigueur. **C'est à cette époque fertile que sont nés la musique engagée et le «tropicalisme».** Ce dernier a joué avec les contrastes entre le national et l'étranger, entre l'archaïque et le moderne qui marquaient alors le débat culturel. Le tropicalisme a donné aux rythmes brésiliens des accents de la pop et du rock avec Caetano Veloso, Gilberto Gil et Tom Zé comme chefs de file.

D'autres représentants de cette génération sont eux aussi toujours actifs : **Chico Buarque,** Paulinho da Viola, Jorge Benjor et Milton Nascimento qui, avec les frères Marcio et Lô Borges, a créé un courant très inspiré, le Clube da Esquina... La relève de cette **MPB, synonyme d'une musique d'auteur,** hybride et de qualité, est assurée par des artistes comme Marisa Monte, Carlinhos Brown, Arnaldo Antunes, Maria Gadú... La liste est longue et atteste de la vitalité de la production musicale du pays.

Les Brésiliens aiment leur musique ! Presque 80 % des CD et DVD vendus sont nationaux. Le marché brésilien, en croissance, est le neuvième du monde avec un chiffre d'affaires de 246 millions de dollars (2014). La musique brésilienne est aussi l'une des meilleures ambassadrices du Brésil à l'étranger et s'exporte très bien en V.O.

Heitor Villa Lobos
(1887-1959)

Le dialogue entre culture populaire et érudite est très présent dans la musique brésilienne. L'exemple le plus parlant est celui de Heitor Villa Lobos, l'un des plus grands musiciens classiques du XXᵉ siècle.

Villa Lobos est né à Rio de Janeiro. Il apprend la clarinette et le violoncelle avec son père musicien et fonctionnaire, mais en cachette s'initie à la guitare pour participer aux groupes de *choros*. Cette musique populaire, typique du Rio du XIXᵉ siècle, résulte du mariage entre le *lundu* africain et la polka européenne. C'est cet intérêt pour le *choro* qui lui fera valoriser la guitare dans une partie importante de son œuvre.

Entre 1905 et 1912, Villa Lobos visite plusieurs États brésiliens et récolte des nombreuses musiques populaires. En 1922, il participe à l'importante *Semana de arte moderna*.

Il est cependant sifflé à chacune de ses apparitions. Sa musique est la cible de critiques conservateurs qui l'accusent de «démolir la tradition musicale». Mais ses compositions attirent aussi des éloges et dépassent vite les frontières. En 1923, il arrive à Paris. C'est le début de sa carrière et de sa renommée internationale. Il meurt en 1959 en laissant plus de mille pièces de plusieurs genres, dont les célèbres *Bachianas brasileiras* ou le *Choro n° 5*, aussi appelé «L'âme brésilienne».

Chaque fin de semaine à Rio se tiennent des centaines de bailes funks. C'est la musique la plus représentative des favelas.

Le rap et le funk

À la fin des années 1980, le phénomène de *bailes funk* issu des périphéries et favelas des grandes villes a surpris les Brésiliens. À chaque week-end, environ 700 fêtes en plein air qui rassemblaient un million de jeunes étaient recensées dans la seule ville de Rio de Janeiro. Ces fêtes étaient **l'aboutissement d'un mouvement culturel autour de la black music nord-américaine** – funk, soul, rap, Miami bass. Souvent théâtre de violences, les *bailes funk* ont même été interdits pendant quelques années.

Le funk carioca a au moins deux sous-genres. **Les rappeurs du *funk proibidão* (funk très interdit) dénoncent les injustices sociales, la violence policière** et font parfois l'apologie des narcotrafiquants. **Le funk érotique a une forte connotation sexuelle** dans ses paroles faciles et ses refrains répétitifs. Dans les années 1990, lorsque le rythme devient à la mode, le funk « descend les mornes » et anime fêtes, événements mondains et émissions de télévision. Néanmoins, malgré cette reconnaissance, les *bailes funk* se voient fréquemment interdits par la police. **«*Le funk peut être joué dans n'importe quel endroit de la ville, sauf là où il est né*»,** dénonce le MC Leonardo.

La musique *sertaneja*

À partir des années 1980, la musique *sertaneja*, d'origine rurale, est devenue l'un des genres les plus populaires du Brésil. Les paroles romantiques sur le quotidien et une façon de chanter en fausset sont caractéristiques de ce genre qui rassemble plusieurs rythmes de l'intérieur du pays. **Elle est traditionnellement interprétée par un duo masculin.** Avec l'influence de l'industrie culturelle de masse, la musique *sertaneja* mélange des éléments mélodiques jusqu'alors considérés comme inconciliables, comme l'*axé* de Bahia, la musique électronique et même le funk de Rio. Le succès planétaire de *Aí se eu te pego* de Michel Teló est un bon exemple de cette nouvelle phase du genre.

Un autre rythme éloquent de ce « cannibalisme » musical est le **Tecnobrega**, la version électronique de la musique romantique *brega* (ringard, en portugais). L'exubérante **Gaby Amarantos** est la pionnière de cet étonnant mouvement non seulement musical, mais aussi socioculturel.

Avec ce titre, Michel Teló (né en 1981) voit sa carrière prendre une dimension internationale en 2011.

Gaby Amarantos (née en 1978 à Belém), star brésilienne de la tecnobrega.

LA « HOLLYWOOD » BRÉSILIENNE

Rede Globo

SBT
Sistema Brasileiro
de Televisão

RECORD
Rede Record

La télévision, instrument d'intégration nationale

Au Brésil, on compte plus de postes de télévision que de réfrigérateurs ! Cela veut dire que 56 millions de foyers du pays en sont équipés, selon le dernier recensement de 2010. Malgré l'arrivée des nouvelles technologies, la télévision en clair bénéficie toujours de l'adhésion du public. **Média le plus regardé, elle reste l'option culturelle et la source d'information la plus populaire du pays.**

Le paysage audiovisuel brésilien est composé de **cinq réseaux nationaux privés, financés par la publicité** et contrôlés par quelques puissantes familles. Parmi eux, la chaîne leader **Rede Globo,** fondée dans les années 1960 par le magnat de presse Roberto Marinho, alors proche du gouvernement militaire. Aujourd'hui, Globo est la chaîne la plus importante du pays et l'un des leaders mondiaux. Il existe **un sixième réseau public, mais son audience est dérisoire.**

Ce système privé fait que, du nord au sud du pays, la programmation télévisuelle nationale, produite principalement à Rio ou à São Paulo, est très homogène et nie la diversité culturelle du Brésil. **Elle est dominée par des jeux, des divertissements et surtout par le genre roi, les** *telenovelas* qui rythment la vie de millions de téléspectateurs.

Réputée pour ses programmes originaux, la télévision brésilienne n'en adapte pas moins les succès planétaires, comme le reality show Big Brother.

Les feuilletons, miroir du Brésil

La *telenovela*, ou feuilleton télévisé, est presque née au Brésil avec la télévision en 1950. Toutes chaînes confondues, au moins dix *telenovelas* sont proposées quotidiennement, à l'exception du dimanche. **Ces mélodrames aux accents réalistes, programmés sur environ 6 mois ou 150 chapitres, ont accompagné et influencé l'évolution des mœurs;** du premier bisou à la première histoire d'amour gay à l'écran, en passant par l'émancipation féminine.

La *telenovela* est un espace où le Brésil, avec ses inquiétudes publiques et privées, se reflète dans un monde fictionnel où même la misère est esthétisée. **Un miroir, certes déformant, où les Brésiliens se reconnaissent au-delà de leurs différences sociales et culturelles.** C'est Rede Globo qui a mis au point, à la fin des années 1960, ce produit performant, avec une esthétique propre.
Véritable Hollywood national, Globo produit plus de 2500 heures de fiction par an. À la moindre oscillation de l'audimat, des pronostics prédisent la fin du genre. Même si les feuilletons de Globo n'enregistrent plus les impressionnants 70 points d'audience des années 1970-1980, chaque soir un téléspectateur sur deux, en moyenne, s'assoit devant la *telenovela* de la chaîne leader, diffusée à 21 h.

*« Jamais un baiser n'a eu une telle résonance nationale!»,
s'exclame la presse brésilienne après la diffusion du dernier
épisode de la* telenovela *à succès* Amor á vida*, en janvier 2014.
Felix et Niko s'y donnent le premier baiser homosexuel dans
un programme de grande diffusion.*

*Edir Macedo (né en 1945), homme d'église et redoutable
homme d'affaires.*

L'offensive des évangélistes

La Rede Record est la deuxième chaîne de télévision du pays. Elle appartient depuis 1990 à Edir Macedo, fondateur de l'église pentecôtiste *Igreja Universal do Reino de Deus*. Selon le magazine *Forbes*, Macedo est le pasteur le plus riche du pays. **L'acquisition de la Record, financée, dit-on, avec l'argent des fidèles, fait toujours polémique.** Macedo impose une stratégie agressive avec **une programmation très concurrentielle, pas du tout pieuse,** les émissions religieuses étant confinées entre une et six heures du matin, ou très tôt le week-end. Très vite, la Rede Record gravit les marches de l'audimat et, en 2005, arrache la deuxième place au vice-leader historique, SBT.

Les nouvelles technologies

La progression d'Internet au Brésil est spectaculaire. En moins de dix ans, **le nombre de personnes qui y ont accès a plus que doublé pour atteindre près de 100 millions.** Et les internautes brésiliens sont très actifs : depuis 2013, ils sont même **champions mondiaux en temps de navigation sur le Web,** avec 6 h 04 par jour sur ordinateur et 2 h 26 sur téléphone portable, loin devant la France.

Les Brésiliens utilisent Internet d'abord pour communiquer et **dépensent environ la moitié de leur temps de navigation sur les réseaux sociaux** qui comptent plus de 76 millions d'utilisateurs. Comme partout, l'expansion d'Internet a provoqué une crise de la presse écrite et des industries culturelles traditionnelles, à l'exception de la télévision ; celle-ci a même vu son audience globale augmenter récemment.

Les enquêtes révèlent un phénomène nouveau : **56 % de Brésiliens consomment simultanément au moins deux médias,** c'est-à-dire qu'ils regardent la télé en commentant sur Facebook le déroulement de la *telenovela* ou les exploits des candidats du *Big Brother Brasil.*

Et le cinéma, dans tout ça ?

Le cinéma brésilien, qui a failli mourir au début des années 1990 avec la fin de la société de production et distribution Embrafilme, décidée par le gouvernement ultralibéral de Collor de Mello, a retrouvé depuis quelques années son dynamisme. Grâce à une loi de réduction fiscale pour les entreprises qui investissent dans le cinéma, **plus de 100 films sont produits par an.** Un des symboles de cette reprise est *Central do Brasil* de Walter Salles, qui en 1998 a conquis le Brésil et le monde en emportant l'Ours d'Or à Berlin et le Golden Globe du meilleur film étranger.

Mais la distribution est toujours problématique. **Les films étrangers, majoritairement américains, dominent le marché** et sont vus par environ 90 % du public. Très peu de titres brésiliens atteignent un million d'entrées. Normalement, derrière ces succès il y a un nom, **Globo Filmes,** créé par la chaîne de télévision en 1998, mais contesté pour sa position dominante.

Grands succès au Brésil, les deux films *Troupes d'élite*, réalisés par José Padilha en 2007 et 2011, évoquent les guerres troubles entre la police brésilienne et les trafiquants de drogue.

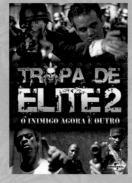

GLOBO FILMES

Entre ces succès coproduits par Globo, il y a ***Tropa de Elite 2***, de 2011, qui a été vu par plus de 11 millions de personnes et a battu tous les records de l'histoire du cinéma brésilien. *Tropa de Elite 2*, de José Padilha, est du même courant que *Tropa de Elite 1* et ***Cidade de Deus,*** de Fernando Meirelles, films qui ont aussi connu un succès international et qui prouvent combien **la question de la violence traverse le cinéma brésilien contemporain.**

Aujourd'hui, une nouvelle tendance se dessine. Les récents acquis sociaux qui ont transformé les rapports de classes archaïques du pays se reflètent sur les écrans. Les histoires qui illustrent la fracture sociale ou les inégalités persistantes se déroulent maintenant à l'intérieur des maisons et traversent la vie privée, en s'arrêtant notamment sur les rapports flous entre employés de maison et patrons. *Les Bruits de Recife* (2012), de Kleber Mendonça, *Casa Grande* (2014), de Fellipe Barbosa, et *Seconde Mère* (2015), d'Anna Muylaert, abordent, chacun à sa manière, **ces transformations qui ont un impact sur la construction d'une société brésilienne plus égalitaire.**

Il n'y a pas de recette figée de feijoada à la brésilienne. On peut varier les viandes, les proportions, les saucisses, et ajouter ou non des pieds, groins, queues et oreilles de porc.

LA CUISINE

La Feijoada, plat national

Variée, la cuisine brésilienne s'appuie autant sur des saveurs africaines que sur des ingrédients amérindiens ou européens. Pourtant, c'est la **feijoada** (de *feijão*, haricot en portugais), une tradition culinaire originaire du nord du Portugal, qui est régulièrement citée comme **le véritable plat national.**
Originaire du Minho, ce ragoût cuisiné à base d'haricots blancs, de saucisses et de diverses parties du porc, n'est pas sans rappeler le cassoulet. Au Brésil, la feijoada se prépare avec des haricots noirs (« le caviar des pauvres », selon une expression populaire), et le plat se consomme accompagné de riz, de tranches d'oranges, de farine de manioc et de feuilles de chou. La recette a également fait son entrée dans les cuisines du Mozambique, de Macao et d'Angola, mais le Brésil en a fait une véritable insti-

tution : repas dominical par excellence, **la feijoada est autant plébiscitée par les classes aisées que dans les milieux ruraux.**

Sa préparation est peu coûteuse et, comme la plupart des recettes populaires, elle est très énergétique. Dans les restaurants chics, on peut se voir proposer, en guise d'accompagnement, un ***suco de maracujá***, un smoothie à base de fruit de la passion ; à la campagne, le plat est habituellement servi dans un pot en argile et il n'est pas rare que l'on y voie surnager les oreilles, la queue et le groin du porc.

Alcool blanc paysan par excellence, la cachaça est distillée à 40°. Il en existe des centaines de marques.

La cachaça

La cachaça est une eau-de-vie distillée à base de jus de canne à sucre fermenté et vieillie en fûts de chêne. Le pays en compte près de quatre mille producteurs, dont des entreprises exportatrices telles la « 51 » qui vend l'alcool sur les cinq continents, mais aussi d'innombrables distilleries artisanales qui alimentent les marchés locaux. De nos jours, **la cachaça est l'un des alcools les plus consommés au monde** et la décision des États-Unis de la reconnaître comme produit « d'appellation contrôlée » devrait stimuler encore le marché. Paradoxalement, un seul cocktail basé sur la cachaça – la *caipirinha* – a réussi à se forger une réputation internationale.

Au Brésil, les distilleries ont vu le jour en 1532, lorsque les Portugais de Madère ont importé les premiers moulins de canne à sucre. Sur les côtes africaines, la cachaça servait de monnaie d'échange aux négriers, et les taxes prélevées sur l'*aguardente* contribuèrent grandement à la reconstruction de Lisbonne après le tremblement de terre de 1755 !
Les innombrables surnoms de la cachaça témoignent de sa grande popularité : la Divine, l'Eau que l'oiseau ne boit pas, la Damnée, l'Amnésie, Marie blanche, Sueur d'alambic… L'engouement du peuple brésilien n'empêche pas, cependant, que certaines cachaças atteignent **des prix dignes du meilleur cognac** – la « Havana 12 anos » se vend ainsi à plus de cent euros la bouteille.

Alex Atala
(né en 1968)

Alex Atala est un cuisinier atypique. Punk dans sa jeunesse, puis DJ dans un club chic de São Paulo, il travaille comme peintre en bâtiment en Europe avant de découvrir sa vocation. En 2013, son établissement, le D.O.M., à São Paulo, atteint la tête des classements des meilleurs restaurants d'Amérique du Sud et le magazine *Time* le place dans sa liste des cent personnalités les plus influentes du monde.
« *La nourriture à la lisière entre la culture et la nature* » : son crédo illustre l'originalité de sa démarche, mais aussi l'orientation de ses recherches culinaires, autant influencées par les saveurs de son enfance que par les ressources alimentaires qu'offre sa patrie.
« *Pour être un cuisinier extraordinaire, il faut avoir la mémoire des goûts,* dit-il. *Et si la mozzarella rappelle l'Italie, le* tucupi (un jus de manioc fermenté) *parle du Brésil.* »
C'est de São Gabriel da Cachoeira, en Amazonie, qu'Atala fait venir les piments, la vanille et le miel qui confèrent à ses menus leur charme singulier. Au D.O.M., on sert du *peixe filhote*, un poisson d'eau douce du Pará, la plante aromatique *beldroega* ainsi que du *baru*, une amande au goût proche de la châtaigne. Originales, ses recettes peuvent être franchement surprenantes, à l'image de ce dessert qui fait l'unanimité : de petits cubes d'ananas relevés… d'une fourmi *saúva*.

Vente de manioc sur un marché. Le terme manioc proviendrait d'un nom et d'un mythe Tupi : la déesse Mani, à la peau blanche, aurait établi son domicile dans la racine de la plante.

Le manioc,
une racine indispensable

Le manioc pourrait devenir l'aliment du XXIe siècle, selon la FAO : il est résistant et nutritif, sa culture facile et peu coûteuse. Très présent également en Afrique, où l'on consomme ses feuilles riches en vitamines A et C, le manioc – également nommé tapioca – est toutefois originaire d'Amérique du Sud. L'étrange « igname qui fleurit dans la terre » avait été décrit pour la première fois par Pero Vaz de Caminha, le chroniqueur ayant accompagné l'armada de Pedro Álvares Cabral lors de la découverte du littoral brésilien : surpris, il avait noté que « les indigènes ne mangent pas autre chose ». Le jésuite José de Anchieta (1534-1597) l'avait baptisé par la suite **« pain des tropiques »,** tandis que l'historien Luís da Câmara Cascudo, considérant cette racine comme l'aliment le plus populaire et le plus légitime du pays, l'avait couronné « reine du Brésil ».

Dans les cuisines brésiliennes, le manioc se prépare de toutes les manières imaginables : **il se consomme râpé, pressé ou séché, sa farine accompagne les viandes rouges et la volaille...** Au nord-est, la *puba*, une pâte à base de plante fermentée, sert à la confection de gâteaux et biscuits ; à Belém, la *maniçoba*, un plat à base de feuilles de manioc cuisinées, est le repas traditionnel de la fête religieuse *Círio de Nazaré*.

Vente de farines. En hiver, le bouillon de manioc est très populaire. Il est également utilisé en farine légèrement rôtie pour accompagner les haricots.

La cuisine bahianaise

Une Bahianaise, fière de présenter ses succulents acarajés.

La forte sensualité de la cuisine bahianaise a souvent été soulignée par Jorge Amado, en premier lieu dans son roman *Gabriela, girofle et cannelle*. Est-ce la profusion des goûts qui rend la gastronomie de Salvador si séduisante ? Elle se vérifie en tout cas aisément dans les restaurants de la ville coloniale : l'odeur sucrée de l'huile de palme souligne la fraîcheur des feuilles de coriandre, quand la douceur du lait de noix de coco tranche avec la savoureuse chair du requin.

C'est surtout aux apports africains que la Bahia doit les particularités de sa gastronomie, mais l'influence des Afro-brésiliens ne se limite pas aux seuls restaurants. Les *baianas do acarajé*, les femmes qui vendent les **acarajés**, des fritures à base de haricot, d'oignon et de sel, sont si emblématiques de la ville que **leur commerce est devenu, depuis peu, « patrimoine immatériel de l'État ».** Lors des rituels du candomblé, culte religieux pratiqué par les descendants des esclaves yorubas, l'acarajé est la nourriture traditionnellement offerte aux déesses Oxum et Iansã ; vendu sur les étals qui bordent les rues de la *cidade alta*, il est volontiers farci de crevettes et rehaussé de piments.

LES TENDANCES AU XXIᴱ SIÈCLE

Les graffeurs de São Paulo

Au Brésil, l'art du *grafite* propose ses fleurs les plus extravagantes à São Paulo. Les rues de la métropole accueillent des œuvres d'artistes confirmés comme **Nunca** et **les frères Os Gêmeos** (en 2008, tous les trois avaient été invités à participer à l'exposition *Street Art* de la Tate Modern, à Londres) tout comme celles du peintre muraliste **Kobra** ou encore de **Zezão**, dont une bonne partie des graffitis décore également les canalisations et égouts de la capitale. **Nina,** autre représentante emblématique de la scène des graffeurs, doit sa réputation à ses multiples figures féminines et colorées, à la fois fragiles et surdimensionnées.

Les rues sans fin et la grisaille légendaire de la mégapole ont fourni un arrière-plan idéal aux *pixadores*. À la fin des années 1990, tags et inscriptions murales s'étaient multipliés, convaincant le parlement de voter une loi associant les graffitis aux crimes environnementaux. Certains lieux ont toutefois échappé à la protection de l'État : avec ses centaines de mètres de murs peints, **la ruelle Goncalo Afonso** ressemble à une galerie à ciel ouvert, tout comme le viaduc qui longe **l'avenue Cruzeiro do Sul,** dont les piliers représentent une surface prisée par les graffeurs.

Nées à São Paulo, les fresques murales d'Eduardo Kobra sont également visibles à New York.

Établi dans un parc immense, Inhotim se veut le plus grand musée à ciel ouvert de la planète.

Inhotim, un musée à ciel ouvert

Le musée d'art contemporain de Brumadinho, dans les environs de Belo Horizonte, est un lieu très particulier. Installé au cœur d'un jardin dessiné par le paysagiste Roberto Burle Marx, l'*Inhotim* s'étend sur une centaine d'hectares vallonnés et dominés de palmiers impériaux ; les pavillons, entourés d'orchidées et de nénuphars géants, exposent des œuvres de **Steve McQueen, Cildo Meireles** ou **Tunga**. La collection réunit **plus de cinq cents créations, dont de nombreuses installations et sculptures** auxquelles le contraste avec l'environnement tropical confère une aura envoûtante.

Démesurée, l'initiative du fondateur **Bernardo Paz** n'est pas sans rappeler la construction de l'opéra de Manaus, érigé à la fin du XIXe siècle au milieu de la jungle amazonienne. **Ici, le dialogue entre nature et culture permet aux Brésiliens de jeter un regard neuf sur l'art contemporain.** À son ouverture en 2006, Inhotim s'est donné la mission de «*définir les stratégies muséologiques qui permettent aux populations d'accéder aux biens culturels*». Aujourd'hui, l'objectif semble atteint : le musée a déjà accueilli plus de deux millions de visiteurs.

Installation de Chris Burden.

Installation de Matthew Barney.

H3,
*chorégraphie de
Bruno Beltraõ,
présentée en
France en 2012.*

La « scène jeune »

La nouvelle scène culturelle du Brésil se caractérise par une vitalité remarquable. Les chorégraphes Lia Rodrigues et Bruno Beltrão, la dramaturge Christiane Jatahy se sont fait connaître sur les scènes internationales, le peintre Vik Muniz et la plasticienne **Adriana Varejão** exposent dans les galeries les plus prestigieuses. L'art brésilien a toujours eu une présence marquée en dehors des frontières nationales, mais l'intérêt que suscitent ces artistes est à la mesure de la rupture qu'ils incarnent. Après les artistes avant-gardistes comme Lygia Clark ou Hélio Oitícica, qui se sont intéressés à un travail sur les formes et les structures, la création contemporaine s'est ouverte à nouveau au dialogue avec le présent.

L'urgence sociale et la violence y sont abordées de front, souvent au moyen d'une expression éclatée, plurielle, qui met tous les langages – audiovisuel, théâtral et musical – à contribution. Certains artistes incarnent à eux seuls cette polyphonie, tel Enrique Diaz, dont la pièce *Monster* présente une galerie de personnages qui ont tous en commun de souffrir de dérèglements affectifs. Le sculpteur **Ernesto Neto**, qui a représenté (avec Vik Muniz) son pays lors de la Biennale de Venise de 2001, fait usage de matériaux qui s'adressent à la sensibilité des spectateurs. Ses installations composées d'éléments de lycra ou de polyamide, remplis d'épices odorantes, soulignent la fragilité des corps – individuels et sociaux – qu'il figure et sublime.

Celula Nave,
*installation
d'Ernesto Neto
(né en 1964
à Rio de
Janeiro).*

Rio fait peau neuve

À l'instar de Barcelone et de Londres, Rio de Janeiro a saisi l'opportunité de l'organisation de la Coupe du monde et des Jeux olympiques de 2016, pour faire peau neuve et permettre la réappropriation par sa population de la région où la ville est née. Le **réaménagement de la zone portuaire**, notamment, change le profil de la cité carioca : en modernisant les quartiers situés autour des anciens docks, la mairie s'est résolue à **valoriser son héritage historique.** L'opération urbaine *Porto Maravilha* (le Port Merveilleux) a réhabilité les habitats de la favela do Morro da Conceição, un des premiers quartiers de la ville, et installé des infrastructures modernes. Les Jardins Suspendus de Valongo, une curiosité urbanistique datant du début du XXᵉ siècle, ont été restaurés, tout comme les nombreux hangars désaffectés, classés pour la plupart aux monuments historiques.

L'ouverture de plusieurs institutions culturelles et la destruction de la *perimetral*, une autoroute surélevée dont le tracé avait asphyxié les quartiers environnants, permettent à la classe moyenne de redécouvrir les rues situées au nord de l'ancien palais impérial. Le **Musée d'Art de Rio**, appelé astucieusement MAR (la mer), a été le premier à voir le jour. L'offre a été complétée par le **Museu do Amanhã**, conçu par l'architecte espagnol Santiago Calatrava. Les lignes légères du bâtiment s'élançant vers la baie de Guanabara ont séduit le public et le musée a attiré, rien que le jour de son inauguration, en décembre 2015, 25 000 visiteurs. Rio lorgne-t-elle du côté de Bilbao ? Une fois construit le musée Guggenheim, la ville basque n'a-t-elle pas connu une popularité internationale inespérée ?

Museu do Amanhã (Musée de demain).

Vue de la nouvelle région portuaire de Rio desservie par un tramway et des pistes cyclables.

Le parc olympique, situé au sud de Rio, s'étend sur plus d'un million de m².

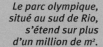

UNE NATURE PARADISIAQUE

Tamarin lion de la forêt amazonienne. Antonio Pigafetta, chroniqueur du voyage de Magellan, avait pris ce primate flamboyant, inconnu des Européens, pour « un joli chat semblable à un petit lion ».

Une forêt qui résiste : la Mata Atlântica

Il y a cinq cents ans, la *Mata Atlântica* couvrait la presque totalité des côtes brésiliennes, mais des siècles de culture extensive et d'urbanisation forcée l'ont réduite à moins de 10 % de sa superficie originelle. Les vestiges, notamment dans les États de Rio de Janeiro et Santa Catarina, nous permettent toutefois de comprendre l'éblouissement dont des religieux européens avaient été saisis en découvrant l'exubérance de la nature du littoral brésilien : dans sa *Chronique de la Compagnie de Jésus dans l'État du Brésil*, **Simão de Vasconcellos déclarait dès 1663 que le paradis décrit dans la Génèse se trouvait en Amérique lusophone,** une affirmation que Sebastião da Rocha Pita, le premier historien de la colonie, avait repris à son compte. Le Brésil, estima-t-il, serait le lieu que Dieu avait choisi pour créer le paradis terrestre.

Aujourd'hui, de nombreuses ONG alertent l'opinion publique sur **les dangers que la fragmentation de l'écosystème représente pour la faune et la flore.**

La Mata Atlântica abrite **plus de 500 espèces menacées d'extinction,** dont l'arbre symbole du pays, le *pau brasil*, et le singe *mico-leão-preto*. Une des solutions envisagées par les institutions chargées de protéger l'environnement est la **création de corridors écologiques,** censés permettre la cohabitation de la nature avec les 140 millions de Brésiliens qui vivent dans les régions côtières. La surveillance par satellite devrait par ailleurs faciliter le combat contre la déforestation sauvage.

Splendide spécimen d'ara rouge (ou ara macao), oiseau très social qui vit en groupe d'une vingtaine d'individus.

L'Amazonie : des « îlots vierges » sur la carte

Les taches blanches sur les cartes sont devenues rares, depuis qu'on peut visiter le monde via le logiciel Google Earth. **Il reste toutefois quelques endroits encore inexplorés et l'Amazonie en particulier n'a pas encore livré tous ses secrets.** Les découvertes récentes, effectuées dans les «îlots vierges» de la forêt, incitent les scientifiques à l'optimisme : en 2005, un gigantesque poisson-chat a été signalé dans le fleuve ; dans les années suivantes, la zoologie a pu inventorier une nouvelle espèce de tortue, 28 de serpents, 26 de lézards ainsi qu'une nouvelle espèce de singe. Doté d'une barbe jaune hirsute et d'une queue rouge, ce primate découvert dans le Mato Grosso semble être un membre de la sous-famille des callicebinae, appelés «singes titis».

Début 2014, des chercheurs ont eu le bonheur d'une rencontre encore plus rare. **Le dauphin d'eau douce aperçu dans le rio Araguaia est la première nouvelle espèce de cette famille découverte depuis la Première Guerre mondiale.** Ses caractéristiques moléculaires et morphologiques permettent de le différencier de son frère amazonien. Les scientifiques estiment que l'évolution aurait séparé ces deux animaux il y a plus de deux millions d'années – un laps de temps qui correspond à la séparation du bassin de l'Araguaia-Tocantins de celui de l'Amazone.

Appelé également boto, *le dauphin rose d'Amazone mesure environ 2,80 m pour un poids allant jusqu'à 150 kg.*

Lélia et Sebastião Salgado
(né en 1944)

L'Instituto Terra a été fondé à la fin des années 1990 par le photographe Sebastião Salgado et sa femme, Lélia Wanick Salgado, directrice de l'agence Amazonas. En rachetant la ferme de la famille Salgado, située aux environs de la ville d'Aimorés dans l'État de Minas Gerais, l'Institut a relevé un défi de taille : rendre les pâturages à la nature et replanter la flore endémique afin de faire renaître la forêt atlantique.

Depuis lors, les pépinières ont produit des millions de pousses de plantes qui ont été redistribuées dans la région afin de participer à la reforestation des terrains dévastés. « *C'est un travail énorme, dit Lélia Salgado, et je pensais que seuls nos petits-enfants pourraient en voir les résultats* ». Mais après deux décennies, la nature a déjà repris ses droits : l'ancienne ferme d'élevage abrite à nouveau une forêt dense et diversifiée, des colibris et des opossums peuplent les arbres de la propriété.

Au Pantanal,
le spectacle de la vie sauvage

Le Pantanal est l'arche du Brésil, un paradis amphibie qui a besoin de la montée des eaux pour garantir la survie des espèces qu'il abrite. Tous les ans, la pluie remplit les fleuves de cette immense région marécageuse et submerge jusqu'à quatre cinquièmes du territoire. Seules quelques îles couvertes d'arbres et de rares collines émergent. Les précipitations sont particulièrement intenses entre novembre et mars ; en avril et mai, les énormes masses d'eau se dirigent vers le rio Paraguay, la seule voie d'écoulement de la région. Situé près de la frontière bolivienne, principalement dans l'État du Mato Grosso do Sul, **le Pantanal s'étend sur une surface comparable à celle qu'occupe l'Uruguay.**

L'étendue de ces terres humides, leur relief peu accidenté en font le plus grand marais du monde, habité par une faune d'une richesse unique : des centaines d'ibis écarlates et d'aras bleus et verts colorent le ciel ; les rivières et marécages abritent des boas constrictors, des loutres, des piranhas... En juin, lorsque l'eau se retire et que la terre s'assèche, on peut avec un peu de chance tomber sur un jaguar que la faim fait sortir des sous-bois. **C'est ce spectacle de la nature qui permet au Pantanal de se réorienter économiquement ;** pour les fermiers qui ont fait faillite en raison de la chute des prix de la viande, **la reconversion dans l'écotourisme présente une deuxième chance.**

Piranha

Boa constrictor

Tourisme vert, treks, safaris photo au Pantanal, véritable paradis naturel, la plus grande plaine inondée de la planète.

Les chutes d'Iguaçu

Les chutes d'Iguaçu se trouvent au cœur de l'Amérique latine, à cheval sur la frontière brésilo-argentine. **Alimentées par un affluent du rio Paraná, les 275 cascades qui forment le site dessinent un demi-cercle qui s'étire sur près de 2,7 km.** Dans un fracas qui fait trembler le sol, six millions de litres d'eau se déversent chaque seconde par la crête ; la force des chutes est telle que les parois en basalte reculent chaque année de trois millimètres. Au-dessus de la ligne de fracture, la vapeur forme des nuages évanescents ; dans le canyon sous les cascades, des barques à moteur permettent aux touristes de pénétrer dans le brouillard et de s'approcher du point d'impact. La plus imposante des cataractes, la *Garganta do Diabo*, mesure plus de 80 mètres de hauteur.

Grâce au taux d'humidité et au climat subtropical, la végétation est abondante, mais l'écosystème autour des chutes est fragile. Le Parc national de l'Iguaçu veille notamment à la protection des espèces emblématiques des lieux : le tamanoir, la harpie féroce, l'ocelot et le jaguar. Depuis 1986, il est également **inscrit sur la Liste du Patrimoine mondial de l'UNESCO.** Le nom des chutes vient du tupi, la langue des Indiens : *iguaçu* signifie « les grandes eaux ».

Le coati, petit mammifère peu farouche, est le symbole du parc national de l'Iguaçu.

FAITS ET CHIFFRES

• **NOM OFFICIEL :**
République fédérative du Brésil
(*República Federativa do Brasil*)

• **SUPERFICIE :**
8 515 767 km²

• **CAPITALE :**
Brasilia

• 26 États, 1 district fédéral

• **FRONTIÈRE TERRESTRE :**
15 719 km, 10 pays voisins

• **CÔTES :**
7 367 km

• **POPULATION :**
205 000 000 habitants

• **DENSITÉ MOYENNE :**
24 habitants/km²

• **POINT CULMINANT :**
Pico da Neblina (2 994 m)

• **PLUS GRAND FLEUVE :**
Amazone, 6 992 km

• **LANGUE OFFICIELLE :**
Portugais, près de 180 langues
autochtones

• **AGGLOMÉRATIONS PRINCIPALES :**
São Paulo (21,1 millions),
Rio de Janeiro (12,3 millions),
Belo Horizonte (5,8 millions),
Porto Alegre (4,2 millions),
Brasilia (4,2 millions),
Fortaleza (4 millions),
Salvador de Bahia (3,9 millions),
Recife (3,9 millions),
Curitiba (3,5 millions).

• **PIB GLOBAL :**
1 800 milliards de dollars (2015,
estimation FMI), 9e rang mondial

• **PIB PAR HABITANT :**
8 802 dollars (2015, estimation FMI)

• **CROISSANCE ÉCONOMIQUE :**
- 3,8 % en 2015 (estimation FMI)

• **MONNAIE :**
Réal (BRL)
(1 € = 4,3 réaux en janvier 2016)

• **DEVISE NATIONALE :**
Ordre et progrès (*Ordem e Progresso*)

LE BRÉSIL EN 2016

LES 27 UNITÉS FÉDÉRALES DU BRÉSIL

Boa Vista

Roraima

Amapá

Macapá

Belém

São Luís

Amazonas

Pará

Maranhão

Ceará

Fortaleza

Rio Grande do Norte

Natal

Teresina

Piauí

Paraíba

João Pessoa

Pernambouc

Recife

Acre

Porto Velho

Rio Branco

Alagoas

Maceió

Sergipe

Aracaju

Rondônia

Tocantins

Mato Grosso

Bahia

Salvador

Cuiabá

District fédéral

Brasília

Minas Gerais

Goiás

Goiânia

Espírito Santo

Mato Grosso do Sul

Belo Horizonte

Vitória

Campo Grande

Rio de Janeiro

São Paulo

São Paulo

Rio de Janeiro

Paraná

Curitibia

Santa Catarina

Florianópolis

Rio Grande do Sul

Porto Alegre

ORDEM E PROGRESSO

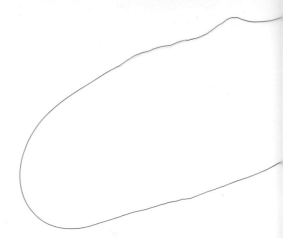